daniel brouillette

# 1. L'affaire est pet shop

Québec ⬧⬧ ⬧⬧

Crédit d'impôt
livres    Gestion
**SODEC**

Gouvernement du Québec – Programme de crédit d'impôt
pour l'édition de livres – Gestion Sodec

Nous reconnaissons l'aide financière du gouvernement du Canada par
l'entremise du Fonds du livre du Canada pour nos activités d'édition.

Bine, 1. L'affaire est pet shop
© Les éditions les Malins inc., Daniel Brouillette
info@lesmalins.ca

Directrice littéraire : Katherine Mossalim
Éditeur : Marc-André Audet
Illustration et conception de la couverture : Sylvain Lavoie
et Shirley de Susini
Mise en page : Marjolaine Pageau

Dépôt légal – Bibliothèque et Archives nationales du Québec, 2013
Dépôt légal – Bibliothèque et Archives Canada, 2013

ISBN : 978-2-89657-176-5

Imprimé au Canada

Les éditions les Malins inc.
5967 rue de Bordeaux
Montréal (Québec)
H2G 2R6

À la mémoire de Christian Hervieux,
mon cousin et idole de jeunesse,
décédé beaucoup trop tôt.

# Table des matières grasses

# Chapitre 1

# L'art de commencer
# le commencement

Lors d'une recherche ou d'un exposé oral, madame Béliveau, notre enseignante de sixième année, nous implore toujours de ne pas commencer par : « Bonjour, mon nom est... et je vais parler de... ».

Pour dire franchement, j'apprécie autant mon enseignante que les crevettes, les piqûres de maringouin, le chocolat à la menthe, les visites chez le dentiste, les prises de sang, le coloriage, les fesses qui piquent, et les bananes brunes. Comme elle me crie sans cesse par la tête, je vais faire à la mienne.

Bonjour, mon nom est Benoit-Olivier et je vais parler du jour où dix roues de camion m'ont broyé les bras et les jambes alors que je me promenais à bicyclette sans tenir les guidons.

Le soleil brillait en ce doux matin de juillet. Je roulais sans but précis, lorsqu'une mauvaise idée me frappa. Cette mauvaise idée avait pour nom « Choix du Président ». En d'autres mots, le président avait choisi de me rentrer dedans à l'aide d'un camion des épiceries Loblaws. Au moment de l'impact, mes os imitèrent le «Cric! Crac! Croc!» des Rice Krispies noyées dans le lait.

Le conducteur du poids lourd, lui aussi un poids lourd, tenta de me réanimer, mais le sang qui lui giclait en pleine figure l'aveuglait. Sous le regard horrifié de curieux entassés sur le trottoir, la rue se tapissa de mon hémoglobine. Tous les nids de poule se remplirent de mon sang. De longues minutes d'une durée de trois mille secondes chacune défilèrent. La souffrance était telle que je ne la ressentais même plus. J'allais mourir.

Madame Béliveau nous suggère de capter l'attention du lecteur dès les premières phrases. Maintenant que c'est réussi, je dois avouer que mes quatre membres sont toujours solidement attachés au reste de mon corps. Je n'ai même plus de vélo, on me l'a piqué au printemps. Jamais un conducteur moustachu ne m'a fait de bouche-à-bouche non plus. J'aurais préféré mourir.

Mes amis m'appellent Bine. Le monsieur Wong du dépanneur du coin, qui encourage ma dépendance aux Mr. Freeze, aussi. Bine, en raison de Lord, mon nom de famille. Benoit-Olivier Lord devient donc Ben-O. Lord. Puis, après quelques heures dans la mijoteuse, Bine au lard. L'identité de l'auteur de ce surnom demeure un mystère, autant pour le FBI que la NASA. Il est apparu comme ça, tout naturellement, du jour au lendemain, sans que personne ne le remarque.

Mes parents refusent de m'appeler Bine. Benoit-Olivier est le nom sous lequel le prêtre m'a baptisé en me chatouillant le front d'eau bénite et il doit en rester ainsi. Mes grands-parents partagent le même principe. S'ils recevaient une carte de souhaits d'un certain Bine, ils la jetteraient aux poubelles pour deux raisons. Premièrement, ils croiraient à une erreur d'envoi, et deuxièmement, ils ignorent toujours ce qu'est le recyclage.

Madame Béliveau nous recommande aussi de nous baser sur notre vécu, de ne pas essayer d'inventer des histoires compliquées.

Alors voilà :

Bonjour, mon nom est Bine et je vais parler de mes dernières vacances des fêtes.

## Chapitre 2

# Deux fête pas de «s»

22 décembre, 6 h 50. Mon réveille-matin hurle pour la troisième fois de sa voix stridente telle un camion hyperactif qui recule. Je n'ai jamais croisé de camion sur le Ritalin sans plomb, mais j'imagine que ça sonne comme un réveille-matin.

Bip! Bip! Bip! Bip! Bip! Bip! Bip!

*Ferme-la!*

Pire son au monde.

Il fait si noir dans ma chambre, on se croirait en plein milieu de la nuit. Si mon animal de compagnie était un coq, il aurait oublié de se réveiller et de me chanter son hymne national de la Volaille.

*J'veux dormir!*

Des stores noirs me coupent du monde extérieur. Par-dessus, des rideaux noirs. Les quelques courageux rayons de lumière qui réussissent à passer meurent sur le tapis noir de ma chambre, dont les murs ne sont malheureusement pas noirs.

La noirceur se sent si bien dans mon donjon qu'on se croirait la nuit à longueur de journée.

On pourrait faire une sieste en plein après-midi ensoleillé d'été et se convaincre qu'il est minuit. Une chambre de rêve pour un vampire. D'ailleurs, mon teint blême pourrait porter à confusion. J'ai invité Bella, mais elle ne m'a pas rappelé…

Il faut dire aussi qu'en décembre, le soleil est pas mal paresseux. Il fait la grasse matinée. Soit ça ou il est dans la lune.

6 h 51. La chanson techno redondante du réveille-matin continue de m'agresser.

Bip! Bip! Bip! Bip! Bip! Bip! Bip!

*Ah! Ta gueule!*

J'étire le bras péniblement pour éteindre la sonnerie. Mon coude craque. Je me sens comme un mort-vivant. Et ce sera le cas jusqu'à 7 heures. Mon corps est programmé ainsi. Entre les premières sonneries de mon réveille-matin et 7 heures : coma total. Autant d'action dans mon cerveau que dans celui d'un poisson rouge. Un feu ravagerait la maison que je me cacherais la tête sous l'oreiller en espérant me rendormir!

Je fête aujourd'hui mes treize ans d'existence. Mais il n'est que 6 h 51 et je me sens comme un p'tit vieux de cinquante ans. Premier cadeau : c'est la dernière journée d'école avant les vacances des fêtes. J'aurais plutôt opté pour la dernière journée d'école de l'humanité.

Treize ans. Treize. Le nombre de la malchance pour ceux qui croient à n'importe quoi. Pour moi, treize représente plus la quantité de poils qui me poussent sur le corps. Treize ans. Enfin ! On aurait dit que ça faisait trois ans que j'avais douze ans. C'est fou comme le temps ne passe pas vite des fois. Sauf quand je suis à moitié mort sur mon matelas beaucoup trop mou et qu'une autre journée d'école m'attend. Là, le temps file. Je veux rester couché. J'aurais dû attraper la grippe.

Avec un peu de courage, je me lève sans attendre que le 7 pique la place du 6 sur l'écran de mon réveille-matin. Grosse folie de mes treize ans !

À la cuisine, mes parents – déjà debout depuis un certain temps, j'imagine – font la conversation. En fait, ça se résume à ma mère, Jocelyne, qui parle dans le vide. Comme d'habitude.

– … En tout cas, moi j'étais super mal à l'aise, ça fait que je lui ai dit de venir quand même au party de bureau de demain. Qu'est-ce que tu voulais que je lui dise ? demande ma mère en se tournant vers mon père qui lui fait dos.

Mon père, probablement absorbé par l'analyse du match d'hier soir dans le journal, sent qu'on lui pose une question. Il tousse un bon coup, puis murmure n'importe quoi.

– Ah ben, c'est sûr.

Sans le vouloir, je le sauve de l'embarras, puisque ma mère aperçoit son grand ado préféré. Pas difficile, je suis son seul…

– Bon matin ! As-tu bien dormi ?

Je lui marmonne un « oui » en langage de mortvivant, ce que sa bonne humeur ne semble pas trop apprécier.

– Vous êtes jasants quelque chose de rare à matin, vous autres !

J'ouvre l'armoire.

– Y'est où le pain ?

– Bon matin à toi aussi ! Il est, comme d'habitude, dans la boîte à PAIN, juste à côté du grille-PAIN. C'est comme une thématique dans ce coin-là, ajoute-t-elle de son petit ton sarcastique que mes oreilles n'aiment pas trop entendre à 6 h 54.

Alors que je prépare mes quatre toasts au beurre de pinottes, ma mère se racle la gorge, puis me fait la même grande annonce spéciale que chaque année.

– Cette année, Benoit-Olivier, comme ta fête est trois jours avant Noël, ton père et moi, on a pensé que ce serait mieux de tout fêter ça en même temps le 25.

*Comment ça, «ça»?!*

Elle remplace «ma fête» par «ça», comme s'il s'agissait d'un nom commun bien ordinaire, d'une chose quelconque, d'un événement aussi banal que la fin d'une pinte de lait.

*«On a pensé...» C'est pas une décision de p'pa pis toi. P'pa s'en fout. C'est juste toi!*

Mon anniversaire tombe toujours trois jours avant Noël. Même si c'est une année bissextile, que les Canadiens gagnent la coupe Stanley ou que les marmottes voient leur ombre en février, ma fête demeure le 22 décembre. Trois jours avant **LA VRAIE FÊTE**. Dans leur tête, préparer deux fêtes, c'est comme courir un marathon avec des bottes de ski dans les pieds. Trop d'effort.

– De toute façon, cette année, c'est nous qui recevons. À la place, on va organiser une plus grosse fête.

*«Plus grosse fête», mon œil! La seule affaire de grosse qu'il va y avoir, c'est ma tante Michèle.*

Évidemment, c'est juste dans ma tête. Je garde mes pensées pour moi. Il ne faut jamais dire que

Michèle est grosse. Il faut faire semblant que nos yeux ne sont pas aveuglés par sa grosse bedaine qui l'empêche de voir le bout de ses orteils depuis 1991. Pour défendre sa sœur, ma mère dit qu'elle a des problèmes de glandes. Oui, en effet : elle prend des « glandes » portions.

*« … organiser une plus grosse fête. »*

Qu'est-ce qu'il y aura de plus ? Trois cents guirlandes ? Des p'tits cure-dents avec des saucisses cocktail ? En réalité, ce que ma mère tente maladroitement de dire est : « On te fête à Noël, ce qui nous permet d'économiser en t'achetant moins de cadeaux que si on t'avait fêté deux fois ! »

Je me console. Si j'étais né un 29 février, ils feraient tout leur possible pour ne me fêter qu'aux quatre ans.

Ma mère continue sur un ton enjoué.

– As-tu repensé à ce que tu aimerais avoir cette année ?

*C'est pas encore acheté ?!*

Soit elle est sourde, soit elle ne veut rien comprendre. Depuis plusieurs mois, je lui casse les oreilles avec le cadeau dont je rêve. Je me mets à genoux, prends sa main et lui fais la grande demande de manière officielle.

– J'aimerais vraiment, vraiment, vraiment ça, avoir un chien !

Mon père, qui vient de fermer le cahier Sports, fait semblant de ne pas m'entendre. Robert souffre de la maladie de l'écoute sélective : il choisit ce qui entre dans son conduit auditif selon une méthode de tri toute particulière. Il pourrait y avoir un ovni échoué dans la cour arrière qu'il courrait au salon, la langue bien pendante, si je lui disais qu'il y a du golf à la télévision. Mais même dans un couvent fermé et silencieux, il n'entendrait pas ma mère lui annoncer que j'ai eu 99 % en français.

Je désire n'importe quel chien : petit, gros, laid, à trois pattes ou bien en forme de pogo sans la pâte autour. Même un à moitié écrasé sur le bord de la route ferait l'affaire. Je lui enseignerais comment donner la patte, la seule qu'il lui reste.

– Pas un toutou, par exemple !

Je le précise, sachant que Bob le bricoleur est assez souple de l'esprit pour m'acheter un chien-chien en peluche ou bien m'en gosser un en bâtons de Popsicle. Je sais ce qu'il dirait.

– *Tu voulais un chien, mais t'as jamais dit quelle sorte !*

Quand on a un père atteint à ce point de l'écoute sélective, on se méfie. J'ai failli demander une sœur il y a deux ans. Quand on est enfant unique, le temps est parfois long. Je voulais une sœur pour l'écœurer lorsqu'il n'y a rien à faire les jours de pluie. Il aurait fallu que je précise à Môssieur de ne pas kidnapper une vieille religieuse. De toute façon, j'ai vite oublié le projet. C'est à peine si mes parents s'embrassent à la Saint-Valentin. Alors faire un bébé doit se retrouver plutôt loin dans leur liste de loisirs.

— Ton père est allergique au poil, tu le sais bien ! s'exclame Jojo d'un ton un peu trop jojo à mon goût.

*Euh… non, j'le savais pas. ON N'A JAMAIS EU DE CHIEN !*

— C'est pas juste ! Ça fait six mois que je t'en parle pis t'attends trois jours avant Noël pour me le dire !

— Je pensais pas que tu étais si sérieux que ça ! dit-elle comme si elle arrivait sur Terre.

*Ben non, c'était mon premier spectacle intitulé* Je fais semblant de vouloir un chien pour ma fête.

— P'pa est pas allergique au poil pantoute ! C'est quoi cette invention-là ?

Comment quelqu'un qui fume deux paquets de cigarettes peut être allergique à de vulgaires poils de chien? Pas deux par semaine, ni par mois: par jour! Une bonne chance qu'il ne fume jamais dans la maison, c'est plutôt un masque à gaz que j'aurais demandé. Pour Noël, ma fête et en même temps comme déguisement d'Halloween!

Avec tout cet argent gaspillé en fumée, il pourrait m'acheter un nouveau modèle de chien chaque semaine. Un peu comme les millionnaires collectionnent les voitures de luxe, moi, j'aurais des chiens de luxe. Je les laverais au gros soleil le dimanche après-midi, et ensuite, je les emmènerais au centre-ville pour impressionner les filles.

– Tu le sais, la seule fois qu'on est allés chez Claude quand ils avaient Patchouli, il a passé la soirée à éternuer, continue-t-elle.

– Ouin! ajoute mon père avec conviction, jugeant finalement nécessaire de se joindre à la conversation.

Les mères et leur manie de trouver le bon mot...
*Merde!*

Claude est mon oncle, le mari de Michèle, la-madame-pas-grosse-du-tout. Je devais avoir sept ans quand ils ont eu Patchouli, un petit chien énervant qui passait ses journées à zigner les coussins du divan.

J'ai un vague souvenir de mon père avec des yeux rouges sur le bord d'exploser, comme s'il avait épluché et coupé vingt kilos d'oignons. J'avais complètement oublié ce Patchouli.

J'insiste. J'explique que le chien n'aura qu'à rester dehors dans sa niche. Tout comme le tabac, la petite bête ne rentrerait jamais dans la maison. Je n'ai jamais entendu parler de quelqu'un qui serait mort à cause du poil secondaire.

Je sors vraiment le gros baratin à ma mère. Je lui répète à quel point je m'occuperais de tout. De le faire manger, courir, pisser et de le laisser pondre ses numéros deux aux pieds des arbres en prenant bien soin de mettre les tas dans de vieux sacs d'épicerie. Il y en a environ quatre milliards qui attendent de polluer la planète dans le fond de l'armoire de cuisine. Mon chien pourrait donc faire caca à volonté.

Je me fais très convaincant. Je répète toutes les trente secondes qu'ils n'auraient jamais à s'en occuper, à lever ne serait-ce que le petit doigt.

Je suis excellent en exposés oraux. On dirait que j'ai pratiqué mon numéro des dizaines de fois.

— Il doit sûrement exister des chiens qui perdent pas leur poil.

Devant mes arguments de béton, ma mère est comme une toilette dans laquelle un p'tit comique a mis du papier à mains brun : complètement bouchée.

– Tu mettras ça sur ta liste de Noël, conclut-elle.

*On est le 22 décembre ! Y'est un peu tard, me semble !*

Dans un rare moment de complicité avec ma mère, mon père ajoute.

– As-tu été sage cette année ?

*Me niaisez-vous ?*

Ma mère fait semblant de se retenir de pouffer de rire, mais je sens qu'au fond, elle est mal à l'aise. Elle est plus que bouchée. Tellement que, pour s'en sortir, elle lance des petites blagues avec mon père. C'est tout juste si elle ne lui donne pas des coups de coude en faisant des gros clins d'œil.

«As-tu été sage cette année ?»

Quelle question idiote ! Admettons que j'avais été l'enfant le plus sage au monde, ce qui n'a vraiment pas été le cas, est-ce que je pourrais demander une piscine creusée remplie de Skittles ?

Les enfants disciplinés sont récompensés à longueur d'année : ils ne se font pas chicaner. Nul besoin de leur donner autre chose. Quand un athlète l'emporte aux Olympiques, on ne lui donne pas deux médailles. On lui dit : «Félicitations! Voici ta médaille, retourne dans ton pays pis on te revoit dans quatre ans, l'gros!»

– Arrêtez de niaiser pis écoutez-moi!

Mais peine perdue, ils rigolent.

*Ho! Ho! Ho! que c'est drôle! J'en ai presque mal au ventre!*

Plutôt poche comme début de journée de fête. Finalement, peut-être que le 13 me porte malheur…

Si leur jeu de me prendre pour un bébé continue, ils vont me sortir une histoire de père Noël. Dès la maternelle, j'avais pigé ceci : si le père Noël existait vraiment, il serait assez intelligent pour entrer par un autre endroit que la cheminée. Le bonhomme est deux fois gros comme le trou et il porte un beau manteau rouge et blanc fraîchement sorti de chez le nettoyeur. Aussi brillant étais-je, j'ai dû reprendre ma maternelle. Semble-t-il que je me cachais sous les tables à longueur de journée, que j'étais incapable d'attacher mes souliers à lacets seul et que j'avais de la difficulté à compter jusqu'à dix.

*«1, 2, 3, 4, 6, 9, 7, 10!»*

Je ne sais pas qui a inventé le père Noël, mais comme le dit souvent madame Béliveau à propos de mes devoirs : «Ç'a dû être fait sur le bout de la table!» Après, les adultes se surprennent que les jeunes n'y croient plus comme eux dans le bon vieux temps. On est juste plus intelligents. Mais ça, ils ne l'avoueront jamais.

S'il existait et qu'il pénétrait dans nos maisons par la cheminée, le père Noël serait petit, maigre, sale de la tête aux pieds et il passerait son temps à tousser. Ce père existe déjà. C'est le mien.

C'est d'ailleurs ce grand philosophe qui met fin à la conversation en y allant d'une parabole très réfléchie :

– Un chien, un chien… C'est épais, ça, un chien !

# Chapitre 3

# La dictée chienne

«Dernière journée», que je me répète alors que je m'assois à mon pupitre. Madame Béliveau, qui n'est jamais de bonne humeur, sauf le 32 novembre, nous observe prendre place et défaire notre sac. Même à moins de cent heures de Noël, elle attend qu'un élève dise un mot à son voisin pour lui japper par la tête. Évidemment, nous gardons le silence. Si elles n'étaient pas congelées sur le rebord des fenêtres, on entendrait les mouches voler.

Il y a en tout trois classes de sixième année à mon école. Une classe «internationale» avec les petits bolés et deux classes normales. J'avais donc une chance sur deux de tomber sur la femme qui doit sûrement zigouiller des écureuils dans ses temps libres et je suis tombé dessus. C'est bien le seul tirage que j'ai gagné dans ma vie.

Madame Béliveau prend toujours les premières minutes pour nous souligner ses insatisfactions : le désordre dans les pupitres, les vêtements qui traînent à côté des casiers, le tableau qu'un élève a mal lavé la veille, les crayons égarés par terre. Elle est sans reproche lorsque vient le temps des reproches.

Pas pour rien que, dans son dos, nous l'appelons madame Bélivache.

— Tristan, est-ce que tu pourrais nous expliquer ce que tu fais avec plein de bouts de gomme à effacer sous ton bureau ?

Tristan, un jeune Français absolument insupportable, se penche pour constater de ses propres yeux que c'est le fouillis sous son pupitre.

— Je ne sais pas, madame, c'est peut-être le vent qui les a poussés, dit-il rouge comme une tomate très mûre.

*Imbécile, les fenêtres sont fermées. On est en décembre !*

— Le vent ? Tu ne pouvais pas trouver une meilleure explication, Tristan ? Tu resteras à la récréation pour nettoyer sous ton pupitre.

Elle le dévisage, attendant la conclusion.

— Je n'ai pas entendu, Tristan !

— Oui, madame, dit Tristan, qui avait oublié la formule qui doit suivre chaque ordre de madame Béliveau.

Une journée typique. De quoi donner vraiment le goût d'apprendre !

Comme les bonnes idées me traversent rarement la tête, je décide d'ajouter mon grain de sel pour mettre un peu de sucre à cette matinée sans saveur.

– C'est pas des effaces, c'est des crottes de nez!

Telle une détonation de grenade, tous les élèves explosent de rire en même temps. Seul Tristan ne rit pas. Il se fait sécher les dents, la bouche grande ouverte, en regardant de gauche à droite, incapable de décider s'il doit rire ou pleurer.

Je suis bien placé pour savoir si ce sont des crottes de nez, mon voisin de pupitre passe ses temps libres à explorer ses narines. C'est épouvantable tous les têtards qui peuvent sortir de ce petit étang visqueux!

Un jour, ma grand-mère Rose m'avait surpris le doigt dans le nez.

– Si tu continues, tu vas te crever un œil.

– Ça me pique, j'ai une galle, avais-je menti.

Je m'étais imaginé sans œil gauche et avais eu la frousse. J'avais été si traumatisé que j'avais immédiatement retiré mon doigt. Cela dit, ça ne m'a pas empêché de récidiver, mais maintenant, je redouble de prudence. J'ai un truc. Je m'assure d'être seul!

Tristan continue de nous regarder sans trop comprendre. Les rires cessent rapidement, car madame Béliveau nous fusille des yeux un à un.

– Très drôle. J'entendais souvent cette blague lorsque j'enseignais en première année. Il s'agit là d'une belle preuve de ta maturité, Benoit-Olivier.

Je suis profondément insulté, mais je ne le démontre pas. Je ne suis quand même pas pour perdre la face le jour de mon anniversaire. Je dois au moins m'offrir ce cadeau.

– Merci, madame.

Le vouvoiement n'est pas obligatoire à notre école, sauf dans la classe de madame Béliveau. Comme s'il n'y avait pas assez de règlements, elle a décidé de se donner encore plus de pouvoir en exigeant qu'on lui dise «vous» et qu'on l'appelle «madame». J'ai eu droit à quelques retenues pour m'aider à m'en souvenir.

– Dans un tout autre ordre d'idée, dit celle dont j'ignore le prénom, puisque tu as besoin d'attention Benoit-Olivier, j'en profite immédiatement pour souligner les anniversaires. Ça va comme suit : Benoit-Olivier, aujourd'hui, Sarah le 29 et Simon le 2 janvier. Bonne fête à vous trois ! lance-t-elle avec une minuscule grimace, sorte d'ancêtre du sourire.

Il va sans dire qu'elle s'adresse toujours à moi par mon prénom complet. M'appeler par mon surnom équivaudrait à avouer qu'elle est mon amie. Si on lui offrait dix millions de dollars, elle refuserait quand même.

C'est la première fois qu'on célèbre mon anniversaire le jour exact à l'école. Habituellement, nous tombons en vacances le 20 ou le 21 décembre et on me souhaite bonne fête à l'avance comme pour Sarah et Simon.

On parle souvent des quinze minutes de gloire. Pour notre anniversaire, cette gloire s'étend l'équivalent de quinze secondes : on te chante bonne fête, tu dis ton âge et le cadeau que tu souhaites recevoir, puis tu sors une feuille et un crayon. La fête est terminée : c'est l'heure de la dictée.

Je préfère de loin cette tradition à celle que mon père m'a racontée. À sa fête, les élèves de sa classe devaient faire la queue devant lui, puis l'embrasser ou lui serrer la main à tour de rôle, selon que c'était un gars ou une fille. On enseignait les bonnes manières, semble-t-il.

Des becs de madame Bélivache ? Je préférerais caler un verre de lait caillé. Sa tétine poilue sur le coin de la bouche lui donne un air de sorcière génétiquement modifiée avec des gênes de crapaud.

Une tétine si grosse qu'on peut l'observer de l'espace avec un satellite. Je me demande bien ce qui se cache à l'intérieur...

Les élèves enjoués et la vieille voix rauque de madame Béliveau chantonnent en chœur.

– Bonne fête, Benoit-Olivier. Bonne fête, Benoit-Olivier. Bonne fête, bonne fête, bonne fête, Benoit-Olivier.

Mon nom composé a le don de casser le rythme de cette chanson.

Après le méga succès *Bonne fête*, Tristan amorce la suite.

– Quel âge as-tu, vieille tortue ? Quel âge, quel âge...

Mais il se tait dès qu'il réalise qu'il est le seul à chanter. Il retrouve son beau teint rouge foncé qui lui va si bien.

Même concert pour Sarah et Simon. Il ne reste que quelques secondes à notre temps de gloire.

– Qu'aimeriez-vous recevoir comme cadeau ? On commence par toi, Simon.

– Un PlayStation 4.

– Toi, Sarah ?

– Un iPad.

– Mon Dieu, rien de moins, commente madame Béliveau, un peu dépassée. Dans mon temps, on avait droit à une orange à Noël et souvent rien à notre fête.

– Et aussi de l'argent et des certificats-cadeaux, poursuit Sarah.

– On doit plutôt dire des chèques-cadeaux, corrige madame Béliveau qui désapprouve ses choix.

– Oui, madame.

– Et toi, Benoit-Olivier?

J'ai vraiment envie de répondre une stupidité, question d'allonger mes quinze secondes de gloire jusqu'à trente.

*Allez, fais pas le peureux!*

Elle semble lire dans mes pensées. Elle me défie du regard, se prépare mentalement à bouillir et à appliquer sa discipline de fer. Ses cordes vocales attendent le signal pour beugler comme un chanteur de heavy métal, car il faut l'admettre, cette dame distinguée me pose cette question par pur automatisme, pour être équitable. Me faire la conversation est la dernière de ses envies en cette dernière journée d'école.

Moment idéal pour une bonne blague. Les profs sont beaucoup plus tolérants la semaine précédant le long congé des fêtes. Fatigués et épuisés, ils attendent avec impatience les vacances. La discipline de fer se transforme en discipline de guenille. Mais avec madame Béliveau, on ne sait jamais. Elle serait du genre à rentrer travailler le 25 décembre, si le directeur lui en donnait la permission.

*Ce que je veux comme cadeau? Un chandail laid comme le vôtre!*

Avec son chandail de laine rouge et vert, elle ressemble à un gros sapin de Noël à deux boules. Son collier de billes lui fait une belle guirlande.

*Pis une scie mécanique pour couper votre grosse tétine!*

Si je disais vraiment ça, je crois que je me taperais des retenues jusqu'en juin.

Impatiente, madame Béliveau répète sa question.

– Alors, Benoit-Olivier? On n'a pas toute la journée!

Les élèves attendent que j'ouvre la bouche pour crouler de rire. Je le sens dans leurs yeux, dans leurs regards malicieux. Ah, la pression! Je repense à ce matin et aux faces malhonnêtes de mes parents et du coup, la madame Béliveau ne me paraît plus si terrible.

– Un chien.

Ma réponse est tellement sérieuse que mes amis se demandent si quelque chose suivra. Un chien… qui va te bouffer le pied… qui va te défigurer… qui va te pisser dans la face! Il s'agit quand même de ma marque de commerce : je suis le Sidney Crosby de la niaiserie.

Si je suis si apprécié des autres élèves, c'est d'abord et avant tout parce que je me fais un devoir de les faire rigoler chaque jour. Je ne fais jamais les autres, mais celui-là, je l'accomplis à merveille.

Ce qui augmente ma popularité, c'est que je suis le meilleur dans tous les sports et que je suis le plus vieux. Je n'ai pas doublé que ma maternelle. Ma quatrième année aussi. Cette fois, je pouvais attacher mes chaussures les yeux fermés et je connaissais très bien les chiffres de un à dix, c'est juste que je ne comprenais rien en mathématiques. C'est encore le cas. Un problème écrit ? C'est comme si on me parlait en chinois. Et 6 X 5, ça ne me rentre pas dans la tête que ça donne 25.

Mes parents avaient beaucoup insisté auprès du directeur pour que j'aie à nouveau la même enseignante, une perle selon eux. La légende veut que Claudette avait dû se battre jusqu'en Cour suprême pour ne pas m'endurer une deuxième année de suite. La pauvre avait perdu sa cause, puis annoncé sa retraite durant l'été, incapable de supporter l'idée de passer dix autres mois de sa vie en ma compagnie.

– C'est bien, conclut madame Béliveau, aussi surprise que les autres. Cela va te montrer ce que c'est que de s'occuper d'un être vivant. Tu vas voir que cette tâche est remplie de responsabilités. Tu devras aller le faire marcher, bla bla bla, poc poc poc, pit pit pit…

Elle continue sa morale, mais j'ordonne à mon cerveau d'envoyer un message à mes tympans de cesser de vibrer. Je l'ai entendue aussi souvent que les chansons de Star Académie que ma mère fausse en prenant sa douche.

Frappée par l'inspiration, la tétine vivante enlève le signet de son énorme recueil de dictées, tourne les pages, puis pousse un long cri ressemblant à celui de l'orignal.

– Vvvvvvoooooooooooiiiiiiiiiilllllllllàààààààààààààà !

Elle nous annonce fièrement qu'elle a choisi un nouveau texte pour la dictée et que celui-ci porte sur les chiens.

Un jour, je ferai disparaître ce satané recueil d'histoires ennuyantes…

– Non merci, madame ! Je veux juste un chien, pas besoin de dictée.

– Benoit-Olivier, si tu désires une visite chez le directeur, tu n'as qu'à le demander.

– Pas besoin de visiter son bureau, j'ai aucune intention de l'acheter !

Si le système permettait aux enseignants de massacrer les élèves, elle sortirait une hache, me couperait en saucissons et les servirait à la cafétéria. Pour dessert : ses écureuils zigouillés dans le sirop. Ne sachant quoi rétorquer, elle ignore ma réplique et poursuit la dictée comme si elle n'avait rien entendu. Je suis convaincu qu'elle m'insulte intérieurement.

*Petit* 💣🔥👊💥☠️😡🌀 *de maudit* 🔥☠️🌀⚡💣😡👊✝️ *de p'tit* ☠️🌀💣💥😡*!!!!*

Je n'ajoute rien. Je sais quand m'arrêter.

Trente minutes plus tard, nous corrigeons en groupe. Tristan s'occupe de ma copie et moi, de la sienne. On dit une copie, mais je n'ai rien copié sur mon voisin. Une chance ! Juste dans le titre, il a deux fautes. Pas fort pour un Français.

La correction se poursuit. L'imbécile me met une faute parce que j'ai oublié un accent grave. Pas grave les accents graves. Ça ne compte pas. Je vais lui en faire, moi, un accent à ce petit Français !

Je profite du dos tourné de madame Béliveau et lui donne une grosse bine sur le bras droit en lui murmurant de m'enlever la faute. Il vient pour lâcher un cri de poule qu'on égorge, mais je le menace de lui sacrer une autre bine.

Il signe ma copie en rouge et inscrit ma note en haut.

– Remettez la copie à son propriétaire, ordonne madame Béliveau sur un ton inutilement autoritaire, au cas où un élève aurait eu l'idée d'y mettre le feu.

Tristan me la tend, puis attend…

– Bine, ta copie.

Mon surnom me va bien, car je donne d'excellentes bines sur les bras. Tristan, qui grimace encore de douleur, pourrait en témoigner.

– Bine ! répète Tristan.

Je repense à ces supposés bouts d'efface sous son pupitre et je ne veux pas toucher à ma feuille, qu'il a manipulée avec ses doigts visqueux. Il paraît que certains microbes ne meurent qu'au bout de quelques minutes. Je regarde ailleurs. Du coin de l'œil, il sourit comme une hyène avec ma copie à deux centimètres de mon visage.

– Bine !

Me promettant de prendre une douche de Purell à la récréation, je lui arrache la feuille des mains et regarde ma note. 25 sur 25. Comme d'habitude.

J'ai échec par-dessus échec en mathématiques, je passe à peine dans les autres matières, mais en éducation physique et en français, je n'ai jamais eu en bas de 97%. Je n'ai jamais étudié une seule seconde mes mots de vocabulaire, les règles de grammaire à apprendre, ni mes tables de conjugaison. Madame Béliveau ne l'affirmerait jamais, mais si elle était honnête, elle dirait comme tous mes anciens profs : « Je n'ai jamais eu un élève si fort en français ! »

Deux rangs en avant et trois pupitres vers la droite, Maxim (sans «e» et de sexe féminin) se retourne et me fait signe en levant la tête. En langage d'écolier, elle me demande combien j'ai eu.

J'enfile en vitesse le plus beau sourire de mon tiroir. Je lui montre un doigt, puis sept. 17.

Je lui fais signe à mon tour et elle me montre ses doigts : 20. Elle grimace pour me signifier qu'elle m'a battu, puis se retourne vers l'avant, toute fière d'elle.

Dès qu'elle ne me voit plus, je lui rends sa grimace, puis regarde à nouveau ma note parfaite.

## Chapitre 4

# Roméo et Juliette peuvent aller se coucher

Sur l'heure du dîner, Maxim et moi courons vers le terrain soccer, où se dispute la Coupe du monde été comme hiver, gros soleil, tempête de neige ou pluie de grenouilles. La classe de madame Béliveau contre «les autres». Les autres étant des élèves de l'autre classe normale de sixième et les deux seuls sportifs de la classe internationale. Les Champions contre Les Pourris. Les Cannibal Crushers contre Les Vieilles Minounes. Les Crazy Bulldozers contre Les Bicycles à Pédale. Animosité et conflits toujours fidèles au rendez-vous.

Maxim est la seule fille de sixième année à pratiquer le sport le plus populaire de la planète. Les rejets jouent au ballon-poire, tandis que les petites madames qui se pensent cool restent debout en petits groupes et jasent d'affaires aussi passionnantes qu'un cours d'éthique et enseignement religieux.

Je l'aime bien, Maxim, pour une fille. Les autres braillent pour rien, incapables d'attraper un ballon sans se plaindre que les gars lancent trop fort. On dirait qu'elle est la seule à comprendre qu'il ne s'agit que d'un ballon et non d'une bombe nucléaire.

Maxim a toutes les qualités de la blonde idéale : forte, rapide et capable de roter l'alphabet au complet. Elle manque souvent d'air pour la finale W, X, Y, Z, mais il reste qu'en matière de rotage, elle se classe haut la main dans mon top 3. Sans oublier qu'il s'agit de la plus ravissante créature de l'école.

La vraie fille de mes rêves, c'est la beauté qui joue dans *Twilight* : Kristen Stewart. On rirait de moi si on les trouvait, alors je cache les quelques affiches d'elle que j'ai ramassées dans les revues à potins de ma mère. Maxim ressemble comme trois gouttes d'eau à mademoiselle Stewart, mais en douze ans plus jeune et avec des seins gros comme des biscuits Whippet.

Je crois que Maxim n'aime pas encore les gars. Elle n'a que onze ans. À son âge, je pensais haïr les filles toute ma vie. En fait, je le pensais encore jusqu'à ce que je l'aperçoive à la première journée d'école, cette année. Toute seule dans son coin, un peu nerveuse. La petite nouvelle.

Maxim n'avait même pas mis les deux pieds à l'intérieur de l'école que j'en étais déjà amoureux. Et quand j'ai su qu'on était dans la même classe, j'ai failli m'évanouir. Pour être en compagnie de Maxim toute l'année, j'ai vite accepté qu'il me faudrait endurer madame Béliveau durant cent quatre-vingts longs jours pénibles de classe. Finalement, la petite nouvelle était une très belle nouvelle.

Tous les gars de sixième année en sont secrètement amoureux. Tristan aussi, mais contrairement à moi, il est zéro subtil. Il cache mal son jeu. Il la suit partout, n'arrête pas de lui poser des questions stupides et de lui raconter des anecdotes inventées avec sa petite voix aiguë et son accent agaçant. Il n'a aucune chance avec elle. Moi non plus, d'ailleurs. Elle est beaucoup trop belle pour moi. À mon palmarès du gars le plus drôle de l'école s'ajoutent aussi les trophées du plus grand et du plus maigre. Et côté beauté, je suis loin de Robert Pattinson ou de Taylor Lautner.

Si j'étais joueur de hockey, on pourrait lire au verso de ma carte que je mesure un mètre soixante-quinze et que je pèse quarante-trois kilos avec un équipement de gardien de but sur le dos et un sac de patates dans le jack-strap.

Il n'y a que le concierge et le directeur qui me dépassent. Même le professeur d'éducation physique est plus petit que moi. De trois petits poils, mais ça compte! Habituellement, il paraît que c'est plutôt vers les quinze, seize ans que les gars grandissent autant. Faut croire que mon corps ne voulait pas rater l'autobus.

Une journée, mes pantalons me font, le lendemain, ils m'arrivent au milieu des jambes. Sur ma photo de classe, c'est à peine si on me voit les cheveux. J'ai dû grandir pendant que le photographe développait les photos…

Si l'homme est le cousin du singe, je suis son frère jumeau. Pas juste parce que j'aime les bananes et que je me gratte souvent le derrière : mes bras touchent mes genoux. Je peux me gratter les rotules sans pencher les épaules. Ce serait très pratique si mes rotules se forçaient un peu pour piquer plus souvent. C'est à peu près l'unique avantage d'avoir l'air d'un gorille pas de poils. Ça et pouvoir m'étirer le bras en arrière de la sécheuse pour aller chercher un bas égaré.

S'il y avait des commentateurs sportifs pour cette dernière Coupe du monde avant la pause des fêtes, ça se résumerait ainsi :

*«Les Crottes au Fromage sont en possession du ballon. Maxim leur soutire le ballon, la passe à Bine, le tir… et le but!*

*Le jeu reprend…*

*Maxim à Bine… Et le but!*

*Tristan tombe sur le dos…*

*Maxim à Bine… Oh, quel beau but!*

*Tristan donne un coup de pied dans le beurre…*

*Le but!*

*Je reprends mon souffle, mesdames et messieurs… et le but!*

*Tristan a la face pleine de neige…*

*Un autre but!»*

La cloche sonne et met fin au massacre. Douze à un pour nous.

Mon record: deux tours de la tuque. Un tour de la tuque, c'est un but de plus qu'un tour du chapeau, donc quatre. Une expression inventée que j'essaie de populariser. Maxim m'a fait à peu près toutes les passes en plus de compter trois fois.

Tristan termine le match avec aucun but, aucune passe, une mitaine perdue et un bleu sur le tibia. Son meilleur match de la saison!

Avec ce gain facile, notre fiche s'élève à quatre-vingt-trois victoires contre dix-neuf défaites, toutes subies lors de mes dix-neuf retenues du dîner.

Nous retournons en classe. Ne reste plus que deux heures à la journée. En cet après-midi très spécial, pas de mathématiques, ni de français, ni de projet sur les Iroquois. On fait un échange de cadeaux.

Nous avions pigé les noms deux semaines auparavant et, chanceux comme je suis, je n'étais pas tombé sur Maxim, ni Roger, car il n'y a pas de Roger dans la classe. Tristan. En lisant le papier, j'avais tenté de faire croire à madame Béliveau que j'avais pigé mon propre nom, mais elle ne m'avait pas cru. Mes talents de comédien frôlent ceux de calcul mental.

Budget : cinq dollars. J'avais décidé de le gâter et d'investir dans quelque chose dont il ne se sert jamais.

Madame Béliveau se penche péniblement et prend la plus grosse boîte sous le sapin à l'avant de la classe.

– À Tristan.

Les yeux de Tristan s'écarquillent : le plus gros cadeau pour lui. Pour lui tout seul ! Il déballe avec énergie et lorsqu'il vient à bout du papier, il ouvre la boîte géante et en ressort, une à la fois, six boîtes de mouchoirs aux jolis motifs de flocons de neige, achetées en spécial au Pharmaprix du coin de ma rue.

Si les élèves n'ont pas pu profiter au maximum de mes niaiseries en avant-midi, là, ils se régalent. La boucane sort des oreilles de madame Béliveau, mais elle suit ma théorie des profs mous avant

Noël et passe le mouchoir sur la blague. Elle tente calmement de reprendre le contrôle de la classe survoltée.

Le plus drôle, c'est que nous devons essayer de deviner l'identité de celui qui nous a pigés.

– Est-ce toi, Amélie? demande Tristan.

On pouffe de rire à nouveau.

*Tu niaises ou quoi?*

Amélie, la réincarnation de la sagesse, ne dit jamais un mot de travers. Du genre à ne pas éternuer ou à se soulager dans son coffre à crayons, de peur de déranger madame Béliveau.

À ce moment, je me rends compte que Tristan ne réalise même pas pourquoi il a reçu toutes ces boîtes de mouchoirs, ni la raison pour laquelle tous les élèves ont un sourire fendu jusqu'en arrière des oreilles. C'est comme si c'était quelqu'un d'autre qui contrôlait ses bras durant ses parties de pêche dans son nez. Ou qu'il était hypnotisé. Ou possédé.

Tous les élèves rient, sauf Amélie… et Maxim. Elle me regarde d'un air sévère, me dispute par télépathie. Elle n'apprécie pas du tout le spectacle. Pourtant, les billets sont gratuits.

Le calme revient finalement. Tristan tente un deuxième nom.

– Est-ce que c'est toi, Maxim?

– Laissons tomber, Tristan, intervient madame Béliveau qui semble le prendre en pitié. Le temps file, alors viens piger le cadeau suivant.

Un peu plus tard, je déballe pour la troisième année de suite un pousse-mine *cheap*, fort probablement acheté dans un de ces Dollarajeudemots, du type qu'on n'arrête pas de peser sur le bouton pressoir parce que la mine s'amuse à bloquer dans le tunnel métallique trop petit. En bonus, un paquet de mines et une efface. Me voilà presque content. Pendant que je fais mes superbes découvertes, je remarque que Mathis se tortille, tout excité, comme s'il avait des vers dans le derrière.

– Mathis, c'est toi qui m'as pigé, j'suis sûr !

– Comment t'as fait pour deviner ? demande-t-il tout surpris.

Pour terminer l'échange, Maxim la chanceuse reçoit une boîte de mes chocolats préférés : des Ferrero Rocher.

Madame Béliveau regarde l'horloge : 15 heures.

– Pour les vingt minutes qui restent, c'est du temps libre.

Personne ne bouge. Les mots « temps » et « libre » n'ont jamais été employés dans la même phrase.

– Est-ce qu'on peut parler ? demande un élève à l'avant.

– Mais oui, mais oui, répond-elle.

– Est-ce qu'on peut se lever ? ose un autre.

Madame Béliveau nous regarde un peu perplexe. Puis, un miracle se produit. Un phénomène que personne n'aurait prédit. Elle rit. Un rire semi-insulté.

– Mais bien sûr. Ai-je l'habitude de vous empêcher de vous amuser ?

*Oui !*

Personne ne répond et tous s'empressent de profiter de ce premier moment de liberté. Ce sera peut-être le seul d'ici au 22 juin.

Quand la cloche sonne à 15 h 20, la fête éclate. Ne manque que les confettis tombant du plafond, un orchestre déchaîné et on se croirait au mariage d'une grande star. Tous les élèves crient comme des mutants retenus en cage. Madame Béliveau a beau hurler de cesser de hurler, la fête se propage dans les corridors. Nous sommes hors de contrôle. On dirait une prison prise d'assaut par ses prisonniers.

Trop d'émotions qui se bousculent. Nous célébrons bien plus que les vacances. L'absence de madame Béliveau, les guerres de boules de neige, les dodos plus tard, la tarte aux pacanes pour déjeuner et les joutes de hockey dans la rue, sans oublier, dans mon cas, l'arrivée de mon chien.

À la sortie de l'édifice, le directeur nous tape dans la main en nous souhaitant de joyeuses fêtes. Une fois dehors, dans la cour, je crie à trois centimètres des oreilles de Tristan.

– Tu souhaiteras joyeux Noël à tes guirlandes dans le nez !

Je le pousse dans un banc de neige et lui en mets quelques pelletées dans le cou. Lorsque la neige transformée en eau lui coulera le long du dos jusqu'aux fesses, il pensera à moi. Petit souvenir du temps des fêtes. Mon deuxième cadeau du jour. Budget : 0 dollar. Et ce ne sont pas les mouchoirs pour s'essuyer qui lui manquent !

Je cours rejoindre Maxim en évitant toutes les balles de neige qui pleuvent de partout. Maxim ne prend jamais l'autobus. Ses parents préfèrent leur camionnette et le réchauffement de la planète. Ses joues rouges de froid la rendent croquable. Plus je la vois, plus je capote sur elle. Mais plus je la vois dans ma soupe poulet et nouilles, moins je sais quoi lui dire. Quand elle me parle, je fige. Je n'y comprends rien. Pourtant, je ne me cassais jamais le coco avant.

C'est elle qui brise la glace avec un ton glacial.

– T'es vraiment pas gentil avec Tristan! lance-t-elle la bouche pleine de chocolat.

– C'est juste pour rire.

– Moi, je trouve pas ça drôle du tout! m'interrompt-elle en le pointant au loin. T'es vraiment con.

Son insulte me frappe droit au cœur. D'un coup, toute la salive disparaît de ma bouche. J'avale péniblement. Pour une rare fois, me faire disputer me rend tout croche. L'effet est différent lorsque c'est la fille qu'on adore qui nous crache le mot «con» en plein visage. Je ne sais pas quoi dire. Je ne peux pas m'excuser non plus.

*Je m'excuse d'être con!*

Un long silence.

– Tu fais quoi pendant les vacances? me demande-t-elle d'un ton sévère à la madame Béliveau.

– Je vais jouer avec mon chien.

– Ah oui, c'est vrai! Est-ce que tu vas me le montrer? demande-t-elle, le sourire aux lèvres.

– Ouais, je réponds, un peu étonné qu'elle se défâche si rapidement.

– Tu m'appelleras aussi pour qu'on joue au hockey.

– Ouais.

– Nous autres, on va chez mes grands-parents, mais on revient le 27.

– Ouais.

*Dis d'autre chose que «ouais», sans dessein!*

Est-ce mon seul mot de vocabulaire? Je n'ai rien de plus intelligent à répondre?

Ses parents arrivent pendant que mon cerveau engourdi lutte pour composer un mot de plus de cinq lettres. Juste avant d'ouvrir la portière, Maxim se tourne vers moi, me donne deux Ferrero Rocher, avale quelques gorgées d'air et m'offre un rot du temps des fêtes.

– Jjjjooooyyyyyeeeeeuuuxx Nnnnooooëëëëëëlllllll!

Elle n'est plus fâchée, on dirait. C'est ce que j'aime d'elle : jamais choquée plus d'une minute. Je ne dis rien, m'efforçant de ne pas abuser du «ouais». Je souris en imbécile, comme Tristan tout à l'heure quand je lui ai rempli le manteau de neige. Je déteste la sensation.

Évidemment que je vais l'appeler! Je ne pourrais pas survivre jusqu'au 5 janvier sans la voir. On pourra aller courir ensemble dans le parc avec mon chien. On pourra même ramasser les crottes à deux.

Eh oui, je suis un romantique.

## Chapitre 5

# L'affaire est pet shop

Le 24 au matin : magasinage de dernière minute. Toujours. Mes parents attendent que ce soit la folie furieuse quelques heures avant le réveillon. Chaque année le même cirque. Ils sont indomptables. Incapables de magasiner en octobre ou en novembre quand les magasins sont vides et que les vendeuses passent le temps en se limant les ongles. Novembre est le plus ennuyant de tous les mois : trop froid pour les activités d'été et aucune neige pour les sports d'hiver. Le mois officiel pour magasiner. Sauf chez les Lord.

Voilà bientôt quinze minutes que nous tournons en rond à la recherche d'une simple place de stationnement. Les voitures avancent pare-chocs à pare-chocs. Les pancartes «Limite : 10 km/h» sont absolument inutiles en ce matin glacial et venteux. Il y a quelque part dans ce stationnement géant cinq places disponibles et trois cent quarante-six conducteurs qui les convoitent. Nous aurions probablement plus de chance en essayant d'obtenir des billets pour un concert de Lady Gougoune. Mon père finit par développer un cancer de l'impatience.

– Y dorment pas le samedi matin, eux autres ? Qu'est-ce qui font icitte, boule-de-neige-et-jour-de-l'An-et-bonne-année-grand-mère ?!

Ce n'est pas tout à fait dans ces mots qu'il a craché sa frustration, mais je n'ai ni clochette ni flûte pour censurer ses jurons. Il sacre beaucoup plus facilement qu'il ne respire. Quoiqu'avec des poumons encrassés comme les siens, c'est peu surprenant.

– Surveille ton langage, Robert, ordonne ma mère en lui donnant une claque sur la jambe, pensant que c'est la première fois de ma vie que j'entends sacrer.

– Ben là, ça fait trois heures qu'on tourne en rond, mon-beau-sapin-roi-des-forêts !

– C'est pas une raison pour sacrer !

– Qu'est-ce que ça prend, vive-le-vent-vive-le-vent-vive-le-vent-d'hiver ? Je suis à veille de vomir tellement on tourne en rond. Il nous reste même plus d'essence ! Si ça continue, on va tomber en panne dans un maudit stationnement. Avoir su, on serait venus à pied, petit-papa-Noël-quand-tu-descendras-du-ciel !

La voiture en avant semble particulièrement lui tomber sur les rognons.

– Avance, minuit-chrétien-c'est-l'heure-solennelle d'innocent !

– Là, Robert, ça va faire ! Soit tu te calmes, soit je sors, menace ma mère, qui est à veille de bouffer sa ceinture de sécurité tellement elle est sur les nerfs.

Mon père l'ignore et poursuit ses chants de Noël entre trois-quatre toussotements de nicotine. Heureusement qu'il ne fume pas dans la voiture, il aurait eu le temps de griller un carton au complet. Et nous, de mourir.

Naturellement, ma mère ne met pas sa menace à exécution.

Utilisant sa créativité, Robert s'invente une place dans un espace réservé pour handicapés.

– Tiens, jamais je croirai qu'ils vont venir magasiner aujourd'hui.

– Qui ça, «ils»? demande ma mère, tout offusquée, sachant très bien à qui il fait référence.

– Y'ont juste à faire leur magasinage avant, y'ont juste ça à faire. On fêtera quand même pas Noël sans cadeaux au cas où un handicapé déciderait de venir ! postillonne Bob Lenragé.

– Premièrement, on dit «des personnes à mobilité réduite». Deuxièmement, si toutes les autres places pour personnes à mobilité réduite sont prises, c'est que la demande est là.

– Les vrais handicapés magasinent en fauteuil. Logiquement, leurs places devraient être à l'autre bout du stationnement. Pas à dix pieds de l'entrée. Pas trop forçant des fauteuils électriques : c'est le moteur qui fait toute la job !

– Il y a aussi des personnes en béquilles ou avec une canne. Des personnes âgées.

– Si y sont pas capables de marcher deux minutes pour se rendre à l'entrée, qu'est-ce qu'ils s'en viennent faire au centre d'achats petit-enfant-tambour-pa-ra-pa-pam-pam ? C'est grand comme une ville, là-dedans !

Comme mon père finit par avoir le dernier mot onze fois sur dix, ma mère sort en claquant la porte, m'oubliant derrière. Avoir été excité par le magasinage, je serais probablement sorti deux secondes plus tôt et mes doigts seraient en ce moment coincés dans la portière. Sûrement une autre bonne idée de mon père pour économiser cent piastres lors de l'achat de notre voiture : il n'y a pas de portière arrière. Je dois m'étirer un peu le bras et tirer la clenche. Un autre point à ajouter à ma liste *Avantages d'avoir de longs bras de gorille.*

À l'extérieur résonne l'hymne national du Klaxon, pays très bruyant, voisin de la République du Muffler, là où les habitants ont la fâcheuse habitude de tourner en rond dans un environnement pollué. Mon père grille trois cigarettes le temps qu'on se fraie un chemin à travers les voitures criardes qui attendent le miracle qu'une place se libère. Un sport extrême, extrêmement extrême.

À l'intérieur, les magasineux ont l'air de se préparer à une éventuelle fin du monde. Ils font leurs courses en courant avec leur gros manteau d'Esquimau sur le dos et un sac par doigt. S'ils pouvaient s'en faire greffer un onzième, plusieurs subiraient l'opération. Tristan le premier, mais pour une raison différente !

À la place de tous ces consommateurs en panique, je lécherais toutes les vitrines une par une à grands coups de langue plutôt que de me lancer à gauche et à droite en quête du dernier jouet sur Terre. Avec le temps que ça prend pour trouver du stationnement, aussi bien en profiter.

Ma mère, qui fait semblant de ne pas avoir pété les plombs il y a moins d'une minute, propose que nous nous séparions, question que chacun puisse acheter les cadeaux des autres sans être vu. Secrets d'État. Mon père approuve en reniflant.

Ils ne m'achèteront pas de chien ici. Ce n'est pas ce qui passe le plus incognito dans une sacoche. De toute façon, il n'y a sûrement pas d'animalerie. Les seuls animaux ici présents bousculent les autres au passage. Dans ce zoo d'achats, les tours de chameau ont été remplacés par les escaliers roulants, tandis que les tigres vont à la foire alimentaire pour se faire nourrir.

Ma mère profite de la distraction de mon père créée par le passage d'une belle femme, plus jeune que lui d'au moins vingt ans, pour glisser discrètement des billets pliés dans ma poche de manteau.

– Tiens, tu pourras acheter des cadeaux pour ceux que tu aimes, murmure-t-elle. Ton père aimerait bien recevoir le coffret des *Rocky* en Blu-quelque-chose.

*Pouhahahaha!* Rocky*!*

– Il les a déjà en DVD.

– Oui, mais il m'a dit qu'ils viennent de sortir en haute je-sais-pas-trop-quoi.

Ma mère et la technologie… Il serait plus facile à un Inuit d'expliquer à un Africain l'art de construire un igloo.

– Mais on n'a même pas de lecteur Blu-ray, m'man!

– C'est quoi, ça?

Pas le temps de lui répondre ni de lui préciser que nous sommes les seuls Québécois sans télé HD, mon père revient à nous, son rêve de la femme aux fesses bombées terminé.

J'imagine qu'en disant «ceux que tu aimes», elle s'inclut.

*As-tu été sage cette année, m'man? Tu me feras ta liste de cadeaux!*

– On se rejoint ici dans deux heures, conclut ma mère qui regarde le plan géant où les magasins sont regroupés par catégorie.

C'est surtout à Maxim que j'ai envie d'offrir un cadeau. Que donne-t-on à une belle fille de onze ans, presque douze, trop vieille pour jouer à la poupée, trop jeune pour se maquiller? Un ballon de soccer? Elle en possède déjà plusieurs. Des fleurs? Non, elles ont le temps de mourir mille fois avant le 27. Et puis, ça fait trop amoureux.

Comme je me questionne sur le cadeau qui rendrait Maxim dingue de moi, je tombe sur un kiosque de bonbons, situé en plein centre de l'allée pour s'assurer que tous les jeunes le voient au passage. Mission accomplie. Le genre de magasin où tous les bonbons coûtent trois fois le prix. Je m'en fous, ce n'est pas mon argent.

Je sors de ma poche mon budget d'aujourd'hui : trois billets de vingt dollars tout neufs, comme si ma mère les avait repassés toute la nuit au fer chaud avant de les plier en deux.

Un adolescent avec autant de boutons que de boules rouges dans notre sapin de Noël s'occupe du kiosque. L'acné devrait en principe débuter bientôt chez moi. Je ne le souhaite pas, mais les boutons sont un peu comme ma tante Michèle dans un corridor : impossible de passer à côté.

Autour, trois cents petits monstres salivent en regardant ce sucre aux mille et une formes et saveurs. Il y en a tellement que j'en perdrais mon latin, si seulement j'en connaissais un mot.

Parmi les centaines de choix, mes yeux tombent sur des semblants de jelly beans, les bonbons préférés de Maxim. Ceux-ci sont bizarres. Les couleurs pâlottes sont peu appétissantes. Sur le panneau, il est écrit qu'il y a des fèves à saveur de popcorn au beurre, de poussière, de cire d'oreille, de gazon, de sardines et… de vomi. Ai-je bien lu ? Au vomi ? À quand les biscuits aux pépites de mucus ?

Je fais signe au gars d'à peu près dix-sept ans de s'approcher. Il fait le même poids et la même taille que moi, soit l'idéal pour casser en deux au moindre coup de vent. Je lui pointe les bonbons qui m'intéressent.

– C'est-tu vrai qu'il y en a qui goûtent le vomi?

– Tu sais quand tu dégueules, le goût full dégueu dans ta yeule? Ben ça goûte pareil!

Son argument de vente me convainc.

– Parfait, j'en veux pour quarante piastres.

– Quarante piastres de jelly beans? Voyons, je sais même pas s'il m'en reste assez! Es-tu sérieux, man?

– Certain, dis-je en lui montrant deux billets verts.

Le gars, dépassé par ma commande, vide toutes les fèves aux saveurs plus écœurantes les unes que les autres dans un gros sac et les pèse. Il me donne le tout dans une boîte de la même grosseur que celle d'une paire de bottes pour ogre. Il remet six ou sept fèves dans son réservoir, trop chiche pour me les offrir en bonus.

– Tu vas tout manger ça? demande-t-il à la blague.

– Non, c'est un cadeau pour mon amie.

– Ami ou ami-E?

– Une fille.

– Hooooooooooooooouuuuuuuuu ! s'excite-t-il. C'est-tu genre ta blonde ?

Il s'aperçoit que son jeu de photographe d'école à la «je-vais-te-faire-rougir-en-disant-que-tu-as-une-blonde-pour-que-tu-souries-sur-ta-photo» ne me dérange pas une seconde.

– Bientôt.

Je prends ma boîte et lui donne l'argent. La boîte pèse une tonne. Maxim va en avoir pour des mois à les roter.

– Bonne chance, man ! conclut-il alors que je m'éloigne pour la suite de ma conquête aux cadeaux.

À travers le troupeau, je repère mon père qui marche en pépère. Il s'arrête et contemple des télés HD dans une vitrine. Il admire les écrans géants comme les fesses de la jeune femme un peu plus tôt. Un long coulis de bave se dessine sur le coin de sa bouche. On dirait un lion affamé devant un magasin Zèbres en Gros.

Je continue sans crever sa bulle. Il me reste vingt dollars pour deux cadeaux. Tous les magasins affichent des pancartes rouges de soldes, des rabais allant jusqu'à 80 %. On croirait qu'ils donnent la marchandise. Malheureusement, aucune télé

HD ou lecteur Blu-ray à vingt dollars. Je pars à la recherche d'un gugusse pas trop cher et pratique, mais rien ne m'inspire. Même si le nôtre est super vieux, je ne suis quand même pas pour acheter un grille-pain. Avec mon maigre budget, il risque de briser en sortant de la boîte. Pas très excitant non plus de développer un cadeau qui sert à brûler des toasts.

Après plus d'une heure à chercher le cadeau idéal pour ma mère sans foncer dans les gens qui ne regardent pas devant eux, je me retrouve à nouveau près de mon point de départ, le kiosque à bonbons. Le jeune m'aperçoit et sourit. Son sapin facial me semble encore plus décoré que tout à l'heure.

*Dieu, si T'existes, hum… si Vous existez, faites que j'aie pas de boutons!*

– Tu t'en viens acheter les dix jelly beans qu'il me reste?

– Non, as-tu des bonbons pour adultes?

– À la pharmacie, y'ont des Tylenol! plaisante-t-il.

Je ris de sa blague beaucoup trop fort. Trente-trois paires d'yeux curieux se tournent vers moi.

– Je voudrais un sac de bonbons pour mon père pis un pour ma mère. Des bonbons pas trop sucrés, style paparmane ou ben des cœurs à la cannelle.

– Des bonbons pas bons, finalement. J'vais t'arranger de quoi. Combien t'as de cash ?

– Il me reste juste vingt piastres.

– Pas de trouble, le gros !

C'est bien la première fois qu'on m'appelle « le gros ». On changerait « le gros » par « le lézard en pantoufles » que l'expression ne serait pas moins inapppropriée.

Pour mon père, monsieur Cool me prépare un mélange de bonbons à la menthe. Avec sa cigarette, il a toujours une haleine de vieux feu de camp. Des Tylenol n'auraient pas été une mauvaise idée non plus, lui qui collectionne les maux de tête. Ce serait bien s'ils inventaient des Tylenol croquables à la menthe fraîche.

Pour ma mère, une sélection de chocolats amers, des truffes.

– C'est encore plus mauvais que les jelly beans au vomi, man ! me rassure-t-il.

– Tant mieux.

Avec ma mère, plus ça a mauvais goût et plus ses papilles jubilent. Son repas favori est le foie. Elle raffole de cet organe qui fabrique la bile, le gros jus jaune épais qui sert à digérer le gras. Elle mange le foie comme je dévore mes Ferrero Rocher.

Vive le magasinage simple! J'ai tout trouvé au même endroit. Mes parents aiment les bonbons. Au pire, venant de moi, ils vont faire semblant d'être contents. Ça fait partie du travail de parents. Ma mère en tout cas. Mon père va faire sa grosse face de bouledogue.

Je vois à l'instant ce que je n'avais pas du tout remarqué en arrivant. Mes yeux s'écarquillent. Mes paupières menacent de craquer. À trois mètres d'où nous sommes entrés se dresse une animalerie. Alors que je m'avance pour y flâner, comme 99% des clients à l'intérieur, ma mère en ressort avec plusieurs sacs dans les mains. Saisi d'une poussée d'adrénaline, je me cache derrière une poubelle, me pliant en huit tel un acrobate du Cirque du Soleil. Une bonne femme lance son gobelet à quelques centimètres de mon visage. Les gouttes qui atterrissent sur mon front me confirment que son Orange Crush *flat* n'était pas tout à fait terminé.

*Merci, madame!*

Ma mère marche dans ma direction. Elle ne m'a pas aperçu. Je me sens comme l'agent secret James Bond. Elle passe tout près de moi. Je regarde ses sacs. Difficile de dire ce qu'ils contiennent. Elle marche trop vite et trop de gens me cachent la vue.

*Tassez-vous, cibole!*

Chose certaine, elle a effectué un achat à l'animalerie : elle traîne un gros sac avec le logo d'un éléphant. Sûrement pas le logo d'un magasin de vêtements pour les gros... Mais un chien dans un sac ? Impossible. Le sac aurait aboyé. Qu'est-ce qu'elle a bien pu acheter dans une animalerie qui se met dans un sac ? De la nourriture ou des trucs du genre. J'ai beau brasser et rebrasser tous les scénarios possibles, une seule conclusion s'impose.

Pourquoi n'y avais-je pas pensé avant ? Ma mère m'a acheté un chien depuis notre discussion dans la cuisine ! Et il doit être caché chez mes grands-parents, chez ma tante ou bien chez l'une de ses amies.

Alors que je me convaincs de ce scénario, un autre doute s'installe en moi. Et si la discussion dans la cuisine faisait partie d'un scénario ? Qu'elle faisait semblant ? Qu'elle et mon père jouaient la comédie ? Que tout cela était une grosse mise en scène ? Cela expliquerait leurs blagues plates sur la sagesse et la liste de cadeaux de Noël.

Je regarde mes sacs de bonbons pour mes parents et me sens tout d'un coup honteux. Mon père passe par-dessus ses allergies, ma mère se donne un mal de chien pour me trouver un chien, ils préparent toute une mise en scène pour m'enlever tout espoir afin que la surprise soit encore plus grande et je les remercie avec un petit sac de bonbons. Des menthes et des truffes pas mangeables. C'est tout. Soixante dollars de budget pour ça.

J'ai honte.

Très honte.

Mais en même temps, je suis heureux. Je vais l'avoir, mon chien.

## Chapitre 6

# Au nom du père, du fils et du zzzzzzzzzzzz

La tradition du réveillon demeure la même, année après année : à 19 heures, la messe de minuit (ce n'est pas logique, mais c'est ainsi qu'on l'appelle), puis mes grands-parents, mon oncle et ma tante qui se joignent à nous pour un très grand total de sept personnes dans notre maison. Aucun cousin ou cousine. Juste des vieux. Tous du côté de ma mère. Je n'ai jamais vu la famille de mon père. Il paraît qu'ils étaient présents à mon baptême.

Une fois à la maison, nous mangeons et mangeons jusqu'à menace d'explosion. Ensuite, les trois femmes jasent d'affaires de femmes à la cuisine, tandis que nous autres, les hommes, parlons de sports au salon. À minuit, pas une seconde avant, commence le dépouillement des cadeaux. Cette année ne fera pas exception.

Mais avant de m'empiffrer de tourtière grasse et de me saouler au Pepsi : la messe.

Assis sur un banc d'église aussi confortable qu'une planche à clous, je regarde ma montre : 18 h 55. La célébration va débuter dans quelques instants. Notre banc, qui devrait en principe convenir à huit personnes, soutient une douzaine de paires de fesses. Je suis coincé entre mes parents et mes grands-parents. Tout cet inconfort pour une messe.

Médiocres comédiens, mes parents font semblant d'être religieux. Ils vont à la messe le 24 décembre, puis n'y retournent plus de l'année.

Je regarde autour de moi. La salle est bondée. On dirait que tout le monde du centre commercial s'est passé le mot pour commencer la soirée ici. Les gens s'entassent pour que tous aient une place assise. Ils se serrent la main et se font des accolades. La bonne humeur est contagieuse. Évidemment, pas de Maxim dans les parages. Ses parents sont contre la religion.

Premières notes d'orgue.

Par le plus grand des hasards, le sommeil m'assomme. Je donnerais n'importe quoi pour avancer le temps.

Dès que le prêtre s'arrête derrière l'autel et commence le discours de bienvenue dans le micro, le visage de ma grand-mère Rose s'illumine. Mon grand-père Charles est assis paisiblement à côté d'elle et lui tient la main. Le vieux curé lance des phrases somnifères qui résonnent dans des boîtes de conserve de treize watts. Un son pourri. *Simple Plan* refuserait de jouer un concert avec ces haut-parleurs.

Mais bon, les gens ne se rassemblent pas ici pour la qualité du son. Ni pour la qualité des textes. La messe est une éternelle chanson à répondre dont il faut apprendre les paroles par cœur. Mon père participe avec entrain, convaincu que personne ne se doute qu'il marmonne des pelletées de «Moussiplsfaphtmingh», «Phtrmkcutykhcuyafgh» et «Flasetemdiouitghvcmph».

Mes paupières s'alourdissent de plus en plus. Je passe près de sombrer dans un monde meilleur. Une botte d'hiver au talon pointu m'écrase le pied et vient me rappeler que je dois écouter.

*AAAAAAYYYYOOOOOOOYYYYYYEEEEE!*

Juste à ma gauche, ma mère me regarde avec ses gros yeux assassins. Je suis Jésus, et elle, les Romains. Ne lui manque que les clous pour me crucifier. Je ne vois pas l'intérêt de suivre, il n'y a pas d'examen à la fin. Et l'histoire, je l'entends chaque année. Je commence à la savoir par cœur.

Je lui réponds avec un sourire qui veut dire: «Oui, oui, c'est super intéressant, c'est juste que j'ai pas bien dormi cette nuit!» En réalité, je pense au fait que j'aurai un compagnon à flatter à minuit. Si je pouvais dormir tout de suite, mettre en banque un peu de sommeil, je pourrais passer une nuit blanche à cajoler mon chien noir.

Un chant s'amorce.

Jamais entendu autant de personnes bêler en même temps. Record Guinness de notes faussées! On se croirait au concours international de l'imitation de perruches. Ma mère chante tellement aigu, elle ferait éclater des verres de cristal.

– Notre sauveur est né, alléluia, alléluia! meugle la chorale.

*Si t'es né, viens me sauver, c'est interminable!*

En prononçant «Notrrrrrrrrrrre», Rose roule ses «r» comme le pâtissier roule ses pâtes à tarte: avec maîtrise et passion.

Sur un banc derrière nous, un jeune pas mal plus futé que moi a gardé sa tuque, ce qui lui permet d'écouter sa musique à faible volume avec son iPod. Quand il s'est penché pour s'asseoir plus tôt, sa tête est venue à deux centimètres de la mienne et Eminem m'a rapé sa prière.

– Dieu est venu chez nous, alléluia, alléluia!

Peu de chances que j'ajoute cette chanson sur mon iPod. De toute façon, je n'en ai pas.

À ma droite, Rose et Charles se tiennent toujours la main. Ils se regardent et sourient durant les refrains. Même après soixante ans de vie commune, ils s'aiment encore. Ça en fait au moins deux dans la famille. Mon père est beaucoup plus affectueux avec la manette de la télévision qu'avec ma mère.

Le concert des perruches prend fin.

– Rendons gloire à Dieu, notre Seigneur! chantonne le prêtre.

– Cela est juste et bon, répondent Rose, Charles, ma mère et environ deux cents croyants.

– Washklrtpnmsvcqrclopx, murmure mon père en même temps.

Rose connaît toutes les paroles sur le bout de ses doigts. Pourtant, elle a de la difficulté à se souvenir de quelque chose qui s'est passé il y a deux minutes. Elle ne pourrait pas nommer le pape, mais elle peut sortir de son chapeau de magicienne le nom de n'importe quelle personne qu'elle a connue en 1938. Elle souffre d'Alzheimer. Elle est souvent perdue, mais aujourd'hui, je la sens très en forme.

Il y a quelques mois, Charles a appelé ma mère pour lui raconter qu'un soir où il jouait aux cartes au club de l'âge d'or, Rose avait oublié qu'elle avait enlevé sa robe de chambre et qu'elle se faisait couler un bain. C'est le voisin d'en bas qui s'en était rendu compte le premier en glissant fesses premières dans une flaque d'eau en allant aux toilettes. Quand il était monté à l'étage, c'est une grand-mère toute nue qui lui avait ouvert la porte.

Depuis l'inondation, mon grand-père ne sort plus sans elle. Surtout si elle est nue !

Rose soufflera ses quatre-vingts bougies en juillet prochain pourvu que le gâteau soit assez gros. Elle a mis au monde cinq mononcles, une matante ainsi que la plus jeune de la famille, une certaine Jocelyne. Rose avait donc quarante ans quand est née celle qui se tue à me convaincre de faire mon lit le matin.

Tous mes oncles habitent un peu partout au Québec. Je les vois aux trois-quatre ans. Il n'y a que ma tante Michèle qui demeure dans la même ville et que je vois un peu trop souvent à mon goût.

Rose avait huit frères et quatre sœurs. Chez mon grand-père, ils étaient seize enfants. Grand-papa avait porté les vieux caleçons usés au fil des ans par ses frères aînés.

Tous étaient morts sauf eux deux. Les parents de Rose, ainsi que tous ses frères et sœurs, sont enterrés les uns à côté des autres au cimetière municipal. Rose y a déjà sa place réservée à leurs côtés. Au moins, elle sait où elle terminera ses jours.

Un jour aussi, je vais mourir...

Ces pensées me dépriment.

*Mon Dieu! Écoute la messe, c'est moins dépriment!*

J'aurais vraiment aimé avoir un frère ou une sœur. Je devrai me contenter d'un chien.

Mille chansons, mille lectures et mille debout-assis plus tard, arrive le temps de la quête. Cette étape signifie que la fin du monde achève ou plutôt que la fin de la messe approche. Voyant que ma mère ne trouve aucun change, mon grand-père me tend une pièce de deux dollars, puis donne l'équivalent à Rose. Lui, pour un bonhomme de quatre-vingt-trois ans, il pète le feu. Encore trop en forme pour péter au frette! Il a juste l'équilibre un peu fragile. Cet été, il a trébuché sur une chaîne de trottoir en traversant la rue. Douze dents de cassées. Pas trop grave, il portait déjà un dentier.

La vieille tête blanche qui roucoulait en jouant de l'orgue plus tôt tend un panier devant mon père. Habituellement, lorsqu'un quêteux surgit à la fenêtre de sa voiture, il lui montre son poing et parfois son doigt d'honneur. Là, il sourit en faisant semblant de déposer des pièces de monnaie dans le panier en toussant, mais tout ce qu'il fait, c'est se brasser la main dans le fond. Bob Gratteux ne donne rien. Avec le «bling, bling» des pièces qui s'entrechoquent, on croirait qu'il vide son cochon de cennes noires. La dame aux lunettes plus épaisses que les fenêtres blindées de la voiture du président des États-Unis n'y voit que du feu.

Je ne serais pas surpris d'apprendre que Bob en profite pour en retirer quelques pièces. Le voleur! Je devrai attendre une autre année avant de le pogner la main dans le panier…

Ma mère laisse tomber quelques vingt-cinq sous qu'elle a trouvés à la dernière seconde, puis c'est mon tour. Voulant montrer mes talents de basketball, je lance la pièce de deux dollars vers le panier à environ trente centimètres de mon bras. Le genre de lancer que je réussirais quatre-vingt-dix-neuf fois sur cent. La fameuse fois sur cent se présente. La pièce ricoche sur le rebord en osier puis continue son vol plané en direction de la tête de la dame âgée assise devant.

*Oups!*

Ses cheveux gris sont tellement volumineux que l'ours polaire atterrit comme sur de la ouate. La dame ne bronche pas.

Ma mère, témoin de mon lancer d'amateur, m'imprime à nouveau son talon de botte sur le dessus du pied, mais avec un peu plus d'énergie cette fois-ci.

La dame de la quête soupire, roule des yeux, puis poursuit sa route, deux dollars en moins.

Je viens pour ramasser la pièce, Jocelyne me tape la main.

– Excusez-moi, madame, dit ma mère en lui tapotant l'épaule de l'index.

La vieille dame se tourne vers nous avec un air interrogateur. Le deux dollars demeure en équilibre. La reine du côté face continue d'admirer les vitraux au haut du mur.

– Ma mère a échappé un deux dollars sur votre tête, madame! lui dis-je avec empressement.

Ma mère me donne un coup de coude sournois.

– Hein? demande la dame qui vérifie sur sa tête.

– Excusez-le, dit ma mère, qui donnerait n'importe quoi pour être assise n'importe où sauf à côté de moi en ce moment.

Je l'ai rarement vue plus gênée.

*Vas-y, écrase-moi le pied!*

La dame un peu confuse lui tend le deux dollars, mais ma mère lui fait signe de le garder, puis elle réalise que c'est comme si elle lui laissait un pourboire! Pas le temps de le récupérer, la dame se tourne vers moi.

– Tiens, mon grand. Garde-le. Joyeux Noël !

Je prends la pièce, la remercie et m'excuse à nouveau pour la gaffe de ma mère.

*Merci, grand-p'pa, pour le deux piastres !*

Le prêtre reprend la parole et me sauve de la face de babouin furieux de ma mère. Il avale une grosse gorgée de vin de dépanneur, puis invite les gens à venir le rejoindre à l'avant pour la communion. L'heure de savourer cette délicieuse hostie. Je pourrais en avaler quatre mille trois cent huit tellement je crève de faim. Habitué de se faire gaver vers les 17 heures, mon estomac s'autodigère. En temps normal, si on n'a pas encore soupé à cette heure-ci, c'est que ma mère a eu un accident mortel.

Je m'avance à l'arrière de la longue ligne de fidèles. J'épie au loin comment placer mes mains afin d'accueillir correctement le corps du Christ. J'oublie toujours. Je n'ose pas trop le demander à ma mère, elle a assez honte comme ça. Mais je n'ai pas non plus envie d'arriver devant le prêtre les mains placées à l'envers. Tout d'un coup que toute cette histoire de religion n'est pas une légende, que les parents de Maxim sont dans le champ, qu'un être suprême contrôle nos vies ? Je ne voudrais surtout pas l'insulter.

Je ne vois rien à l'avant, les chapeaux de poils des vieux me cachent. Je laisse donc ma mère et mon père passer devant moi. La galanterie s'impose : les femmes et les toxicomanes d'abord !

Lorsque Jocelyne répond : «Amen», je remarque que le prêtre dépose une hostie dans sa main gauche. Je change vite mes mains d'ordre, ayant bien entendu prédit le contraire.

Le temps de répondre «Amen» à «Le corps du Christ», même s'il ne s'agit pas vraiment d'une question, je m'enfile cette rondelle de farine sans goût dans la bouche. Comme un aimant, elle se colle amoureusement sur mon palais. De là l'expression : il faut toujours tourner la langue sept fois avant de décoller l'hostie.

De retour à leur place, les gens prient à genoux sur le petit banc coussiné rétractable prévu à cette fin. L'hostie semble mieux se digérer dans cette position. Pour la première fois de ma vie, j'ai envie de prier. Le hic, c'est que ce qui me servait de repose-pieds jusqu'ici est maintenant plein de sloche brune. Je prends la décision de rester assis, mais ma mère ne l'entend pas ainsi. Elle me tire le bras jusqu'à ce que je sois à genoux, les rotules dans l'eau froide.

*Bon, je sais pas si c'est vrai que Vous existez, Dieu, mais si ça Vous dérange pas, on va se tutoyer. Sinon, je vais avoir l'impression de parler à madame Béliveau, et là, je suis en vacances. Je sais pas comment on commence une prière, ça fait que… C'est ça… Bonjour, mon nom est Bine et j'aimerais ça avoir un chien. Je demande pas grand-chose. J'ai pas été sage cette année pis je le serai pas non plus l'année prochaine. Je mange pas toujours mes légumes pis je sacre quand je me fais mal ou que ma prof me garde en retenue. Mais comme Tu sais tout, T'es déjà au courant. Au moins, je suis honnête. Bon, ça fait que j'aimerais que Tu fasses tout ce qui est en Ton pouvoir pour que mon vœu se réalise. Sinon, ce sera la preuve que T'existes pas. Et pis, en passant, j'ai une affaire à Te demander à propos de Maxim…*

Pas le temps de terminer ma prière que mon tatouage au motif de talon pointu sur mon pied gauche hurle à nouveau. Jocelyne me signale via la douleur qu'il est maintenant l'heure de se lever pour les dernières paroles.

Notre sauveur est né.

*Alléluia !*

# Chapitre 7

# De la chicane dans ma cabane et des cochons dans mon salon

On entend souvent des histoires de mononcles trop saouls. Dans ma famille, c'est tout le contraire. C'est la matante qui se promène croche.

La dinde n'a pas encore eu le temps de se faire inonder de sauce aux canneberges que Michèle a trop bu. Déjà. Comme le dit si bien la chanson : vive le vin, vive le vin, vive le vin d'hiver !

Quand Michèle boit trop, c'est-à-dire à toutes les fêtes familiales, c'est le drame. Oh ! que la pauvre travaille trop ! Oh ! qu'elle exerce un boulot difficile ! Oh ! qu'elle vit du gros stress ! Oh ! que son dos fait mal ! Oh ! que c'est difficile de perdre du poids ! Oh ! que oh ! que oh ! là ! là ! Que c'est pas drôle quand on s'appelle Michèle !

Ho ! Ho ! Ho ! Joyeux Noël !

Sans avertissement, même pas un texto, elle se met à pleurer en plein milieu du repas. Les larmes de crocodile figurent au menu. Ma grand-mère, qui n'a pas trop suivi son courant de folie (nous non plus) se lève et la serre fort dans ses bras.

– Viens ici, ma grande.

Elle la console. De quoi? Elle l'ignore. Mais toute bonne mère a pour rôle de remonter le moral de son enfant lorsqu'il a de la pe-peine.

Michèle hurle et crache des phrases dont on distingue juste quelques syllabes.

– Chui… tan… née… ja… riv… pas… ham… mer… po… zer!

À plusieurs reprises, elle essuie son nez dégoulinant sur la blouse de Rose. Il faut dire que cette blouse blanche ressemble à s'y méprendre à un mouchoir.

Mon oncle Claude regarde sa femme comme un téléroman qui dure depuis trop d'années: sans grand intérêt. Même qu'il a l'air amusé. Lui et mon père se regardent et semblent s'envoyer des blagues par télépathie. Ils ricanent la bouche ouverte, mais aucun son n'en sort. Des rieurs ventriloques silencieux.

Des crises de larmes comme celle-là, Claude en a l'habitude. Même moi, elles ne me surprennent plus. C'est rendu que mon père et moi gageons en cachette à quelle heure Michèle pleurera. Je me demande comment un homme aussi drôle que mon oncle peut vivre avec une telle hystérique depuis vingt ans. Les contraires ont beau s'attirer, il y a des saintes bénites de limites. Il faut qu'elle ait un secret…

Michèle se calme un peu dans les bras de sa tendre mère. La grande misère du monde entier qu'elle tient sur ses épaules semble se dissiper. Jusqu'au prochain verre de vin du moins.

Tout le monde continue de manger à s'en défoncer l'estomac en jetant un regard une fois de temps en temps vers la mère et sa fille. Une fois que Michèle lâche son étreinte, Rose ressemble à une vieille serviette taponnée depuis deux jours dans un sac de sport.

Il est 22 heures. Encore deux heures avant de déballer mon cadeau vivant. Deux heures à passer le temps en radotant par pure politesse à quel point la dinde fondait dans la bouche, même s'il fallait la noyer dans la sauce tellement elle était trop cuite. La dinde n'est pas la spécialité de ma mère. Comme contribution, mon père avait ouvert la boîte de conserve de canneberges. Elles étaient très bonnes les canneberges, d'ailleurs.

*Félicitations, Robert!*

Pour le dessert, Rose sert sa fameuse tarte au sucre qu'elle est toute fière d'avoir emmenée.

Chaque fête, tous insistent pour que Rose prépare sa tarte au sucre dont elle seule connaît la recette.

Treize chandelles la décorent et on me chante bonne fête. Que d'innovations chez les Lord : on a inventé la tarte de fête. Peut-être inventerons-nous un jour des grands-mères dans le sirop et des pets de frères. Pas grave, une tarte délicieuse comme celle-là : n'importe quand !

Pendant ce temps, l'autre tarte s'est remise de ses émotions et elle chantonne *Bonne fête*, le verre dans les airs et les yeux fermés comme si elle était Céline Dion devant 50 000 admirateurs. Gros party dans sa tête.

Quelques becs ici et là et, comme dans ma classe, les célébrations ne durent pas très longtemps. Aucun cadeau non plus. Comme party de fête plate, il ne se fait pas mieux. Je donne un 10 sur 10.

Je goûte à la célèbre tarte qui rendrait jaloux n'importe quel pâtissier et mes yeux me rentrent par en dedans.

*YAAAAAAAAAAAAAAAAAAAAAAARK !*

Pire que de la truite ! Dire que des gens faisaient des détours pour en manger. Je recrache discrètement ma bouchée dans ma serviette de papier. Tout le monde autour de la table m'imite en grimaçant. Personne n'ose en souffler mot. Même pas Michèle qui continue de chanter les yeux fermés.

Rose, qui a cuisiné cette tarte avec tout son amour, mange son morceau au complet sans réaliser qu'elle a oublié l'ingrédient essentiel : le sucre. Si cette tarte «pas au sucre» ne goûtait pas le rat mort, elle deviendrait le dessert par excellence de n'importe quelle diète.

*Michèle, c'est bon pour toi, cette tarte-là !*

Charles, dont toutes les papilles gustatives semblent mortes, avale tout rond son dessert en félicitant à plusieurs reprises sa bien-aimée. Chacun souhaiterait jeter son morceau discrètement sans faire de drame. Personne n'a envie de faire pleurer Rose. Nous avons assez de Michèle qui ouvre une nouvelle bouteille de vin rouge.

S'il y a quelqu'un que j'aime par-dessus tout dans la famille, c'est bien ma grand-mère. Elle perd la tête, mais elle n'y peut malheureusement rien. Et selon ce que ma mère m'a expliqué, le phénomène ira en s'empirant.

Discrètement, je me lève avec mon assiette et me dirige vers la cuisine. J'ouvre la poubelle et dépose délicatement ma pointe dedans. Pour éloigner les soupçons, je me sers un verre de root beer.

– Qui veut de la liqueur ?

Mon père saisit l'occasion pour se débarrasser de son morceau.

– Non, non, c'est beau, je vais me servir. En veux-tu Claude?

– Oui, oui, mais je vais aller me servir, répond-il en se levant.

Dix secondes plus tard, ma mère et Michèle nous ont rejoints à côté de la poubelle. Michèle se poste devant pour bloquer la vue à ma grand-mère. Un à un, les morceaux de tarte retrouvent les restants de dinde et les napkins sales.

Après le dessert qui n'en était pas un, Charles, Claude, mon père et moi discutons de hockey au salon. Eux aussi auraient envie de pleurer, comme Michèle, tellement ils se désespèrent de voir les Canadiens gagner une vingt-cinquième coupe Stanley. À la place, ils analysent la saison à l'aide de gros mots appris à la messe un peu plus tôt.

Les trois femmes s'occupent de ramasser la vaisselle et de la laver. Pas une seule fois elles ne demandent de l'aide aux hommes.

Après l'opération Sunlight, ma mère propose de jouer à un jeu.

– Lequel? demande mon père qui ne semble vraiment pas vouloir lever son derrière du divan.

On va quand même pas jouer au Monopoly le soir de Noël?!

– J'ai jamais joué à ça, moi! panique Rose.

– On pourrait jouer au jeu des dessins à deviner, propose Michèle, donnant une seconde chance à la bonne humeur.

– J'ai jamais joué à ça! répète Rose.

– C'est pas difficile, maman, répond Jocelyne. Quelqu'un dessine quelque chose pis les autres essaient de deviner c'est quoi.

– Mais on dessine quoi?

– Ce qui est sur la carte qu'on pige.

– Ah OK, c'est un jeu de cartes.

– Tu vas voir, maman, on va tout t'expliquer au fur et à mesure.

– On fait des dessins pis on devine c'est quoi. C'est tout? C'est juste ça, le jeu? demande mon père.

– Quoi? C'est pas assez l'fun pour monsieur? s'offusque Michèle.

– C'était juste une question, ma belle Michèle, pas une menace de mort, lui répond-il calmement.

Le ton de Michèle monte.

– Garde ton p'tit ton baveux pour le jour de l'An, ça te fera une résolution de plus à prendre!

Noël, fête de la famille ? Pas chez nous. Ici, c'est de la chicane qu'on enveloppe et qu'on range sous le sapin. Et on passe la soirée à la développer...

Michèle arbore un visage de toutes les couleurs voisines du rouge : rouge pâle, rouge pas-mal-au-bord-d'être-rose, rouge foncé, rouge un-ti-peu-plus-foncé, rouge pas-mal-foncé, rouge au-bord-d'esssssssssploser et sans oublier rouge Tristan-se-fait-engueuler-par-madame-Béliveau. Sans compter qu'avec tout le vin qu'elle a bu, ses dents sont noires et blanches. Avec ses quatre pieds de haut et dix de large, on dirait un piano.

Mon père vient pour lancer une réplique, mais ma mère l'interrompt.

– Bob, laisse donc faire !

Quand ma mère l'appelle Bob, c'est qu'il a intérêt à se la fermer, sans quoi elle le punira à jamais. La conséquence doit être sévère, car il se tait immédiatement.

Tout le monde accepte finalement de jouer au jeu sans dessein des dessins pour faire plaisir à mes grands-parents, qui ne nous voient pas assez souvent à leur goût (on les visiterait chaque fin de semaine que ce ne serait pas suffisant), et pour calmer celle qui a proposé ce jeu super-méga-full-extra original.

Michèle se rend dans ma chambre, là où tous les manteaux sont empilés sur mon lit, puis revient avec la boîte du jeu. Elle avait probablement prévu le coup, se disant qu'il n'y aurait rien de mieux que ce jeu et dix bouteilles de vin pour mettre le party dans la place.

– C'est quoi les équipes? demande ma mère.

– Les hommes contre les femmes, propose Claude.

– Oh! Oh! Bonne idée, dit Charles.

– C'est pas juste, vous êtes quatre, on est juste trois, dit Michèle.

– Bon, bon, bon, déjà des défaites! réplique Claude.

– J'vais jouer avec les femmes, moi, dis-je pour que le jeu débute cette année.

Les mauvais perdants ne manquent pas ici, en commençant par mon paternel.

– Ouin, mais là, c'est vous autres qui êtes rendus quatre!

S'il faut qu'il perde contre sa belle-sœur hystérique, la Troisième Guerre mondiale éclatera, c'est sûr!

– Robert, c'est juste un jeu, dit ma mère en lui pointant Rose du regard, en voulant dire: «Rose sera même pas capable de jouer, alors ferme-la!»

– Quel jeu ? demande à nouveau grand-maman.

– Le jeu des dessins, maman, la rassure l'autre maman.

– J'ai jamais joué à ça, moi !

– On va tout t'expliquer, tu vas voir.

Ma mère s'avance la première devant une tablette géante de papier trouvée au fond de la cave et, après avoir pigé une carte, elle dessine une espèce d'hippopotame débile à l'aide d'un crayon-feutre noir. Elle n'a pas été gâtée côté talent artistique. J'ai hérité de ses gênes. Un enfant de trois ans arrive à de plus belles réalisations que nous.

– Un hélicoptère, propose Michèle.

– Non, répond ma mère déjà tout excitée.

De sa main libre, elle nous fait signe de lancer d'autres idées.

– Un pot de beurre de pinottes.

– Ben non !

– Une toupie ?

– Un divan.

– Un dinosaure !

– Ooooooooooooh ! Vous êtes proches !

– Eille, eille, eille, tu triches ! proteste mon père. T'as pas le droit de parler !

– Un tyrannosaure, que je propose.

– Non, vous vous éloignez.

– Eille, pas le droit de donner d'indice !

– Ah, toi ! Veux-tu ben !

– Je comprends pas. Un dinosaure, j'étais proche, et là, je suis loin avec un tyrannosaure.

– Un hippopotame.

Ma mère donne des coups de tête à droite et à gauche pour nous donner des indices. Elle fait des gros yeux. On dirait une nouvelle danse.

– On dirait un chameau, lâche tout bonnement Rose.

– OOOOOOOUUUUUUUUUUUIIIIIII ! crie ma mère, ce qui passe près de tuer la sienne d'une attaque au cœur.

Jocelyne tape dans la main des membres de son équipe et va se rasseoir.

– Bravo ! crie Michèle en grimpant sur le divan. *Pauvre divan !*

– C'est pas un chameau, c'est un dromadaire, précise mon père. Un chameau, ç'a deux bosses.

– Ça se peut, dit ma mère en haussant les épaules, j'en ai aucune idée. C'était écrit « chameau » sur ma carte.

– Non, deux bosses, c'est le dromadaire, dit Michèle, saisissant l'occasion de picosser Robert à nouveau.

– Ben non, le dromadaire a juste une bosse, c'est connu! reprend Bob.

– Je dois le savoir, j'ai vu un reportage sur les chameaux à la télé la semaine passée pis ils avaient juste une bosse.

– De toute façon, j'ai dessiné l'image que je me faisais d'un chameau, intervient Jocelyne. On s'en balance du nombre de bosses! J'aurais pu faire quatre bosses si j'avais voulu. Ou cinq.

Son «boss» de mari ne l'entend pas ainsi. La Troisième Guerre mondiale éclate comme prévu.

– Écoute, j'ai un ami au bureau qui a fait du chameau en Égypte pis sur les photos, l'animal avait deux bosses, riposte Robert, faisant fi de l'intervention de ma mère.

– Peut-être que ton ami s'est trompé? Ça t'a pas passé par la tête une seconde?

Le match des insultes est prêt à commencer. Claude met un peu d'ambiance en tapant sur la table.

– Go Bob! Go Bob! Go Bob! Go Bob!

Michèle, la bête féroce, regarde son mari et menace de le déchiqueter s'il n'arrête pas son cirque.

Je décide d'ajouter à l'ambiance et encourage ma coéquipière.

– Go Michèle! Go Michèle! Go Michèle!

– Go Bob! Go Bob! Go Bob! répond Claude en se ruant sur moi comme s'il jetait les gants contre moi.

On se prépare pour la mise au jeu.

Le dictionnaire qui accumule la poussière dans la bibliothèque, à moins de deux mètres d'eux, pourrait trancher le débat. Le spectacle promet d'être tellement divertissant en comparaison de la messe que je ne dis rien.

– Voyons, Michèle, réveille! Même un enfant de cinq ans sait faire la différence entre un dromadaire pis un chameau.

1 à 0 pour Robert.

– C'est peut-être pour ça que t'as doublé ta maternelle! riposte Michèle.

Égalité 1 à 1.

Mon père s'échappe seul devant le filet.

– C'est pas moi qui ai doublé, c'est mon gars!

L'arrêt du gardien.

*Ouch!*

L'insulte fait mal, mais tout le monde le savait déjà. Ce n'est pas un scoop. Sauf que Michèle n'a pas terminé.

– Étudie un peu la génétique pis tu vas comprendre pourquoi Bine est si poche à l'école!

Elle prend l'avance 2 à 1.

*Quoi?!*

Elle est en train de me traiter d'imbécile? Je ne laisserai quand même pas une folle m'insulter. Du regard, ma mère me signifie d'ignorer l'insignifiante. Jocelyne est allergique aux conflits. Elle n'ose pas enfiler son costume d'arbitre et infliger à sa sœur une punition pour rudesse ainsi qu'une inconduite de party. Occuper le poste de préfet de la discipline, je suspendrais Michèle à vie.

Je jette un coup d'œil vers la bibliothèque. Le dictionnaire a disparu.

– C'est Robert qui a raison, annonce Claude. Le chameau a deux bosses, c'est écrit dans *Le Robert*.

Sur le feu déjà bien en flammes, il ajoute de l'huile.

– Tu peux venir lire la définition, chérie. Des fois, ça aide à s'en souvenir.

Belle interception de Claude.

Frustrée, Michèle ne dit rien et reste la bouche ouverte un long moment. Aucune mouche ne pense aller se réfugier dans cette cave à vin. Mon père transforme les flammes en feux d'artifice.

– Oups, finalement, on se demande qui aurait dû doubler sa maternelle…

Bobby crée l'égalité sur une magnifique passe de Claude.

On se dirige en prolongation.

Michèle éclate en sanglots (encore!), trompe la défensive et s'échappe en direction de la salle de bain en patinant comme un éléphant. Elle claque la bande super fort pour nous souhaiter un très joyeux Noël avant de se réfugier au cachot quelques minutes.

– Tu vérifieras si c'est une salle de bain à un ou deux robinets! crie mon père.

Claude et moi éclatons de rire.

Victoire in extremis de Robert au compte de 3 à 2!

– Na na na na, na na na na, hé hé hé, goodbye! chante Claude.

Ma mère, qui manque beaucoup d'humour dans ces situations, change vite de sujet. Elle veut se convaincre que les deux dernières minutes n'ont jamais existé.

– Bon ben… C'est au tour de Rose d'aller dessiner, lance-t-elle avec un gros sourire, cachant un malaise plus grand que nature.

– Mon tour? Mais je sais pas comment, j'ai jamais joué à ce jeu-là!

– Fais comme ma mère, dis-je. Dessine un ananas écrapouti pis fais-nous croire que c'est un camion de pompier !

Jojo se force pour rire. Elle exagère sa réaction en espérant détendre l'atmosphère.

– Où est Michèle ? demande Rose.

Ma mère lève vite les deux index pour indiquer aux autres de se la fermer. En fait, l'ordre vise surtout Robert.

– Elle est juste partie aux toilettes, elle avait mal au ventre.

– Ouin, elle a une grosse bosse dans le ventre, murmure Claude pour Robert.

Les deux se tapent sur la cuisse.

– Je veux pas gâcher votre fun, mais il est minuit moins deux, dit Charles, plutôt discret jusqu'ici.

Je regarde ma montre.

Le temps passe drôlement vite quand on se chicane !

## Chapitre 8

# Le sapin a perdu la boule

Comme prévu, le dépouillement des cadeaux commence aux douze coups de minuit. Ma mère m'a déjà confié que je devais en théorie me pointer le bout du nez le 25 décembre. Selon elle, j'aurais été conçu début avril. Un beau poisson d'avril.

Rose pige un cadeau au hasard sous le sapin et lit l'étiquette.

– À N… Na… Nér… No…

– Natasha? que je propose à la blague.

– Oups, qu'est-ce que le cadeau de ta maîtresse fait ici, Robert? taquine Claude.

– Ah ben câline, je me suis mélangé!

Rose fronce les sourcils au point de créer dix nouvelles rides.

– Natasha… Non, je pense pas. À M… Ah, j'vois pas bien avec mes lunettes!

Je m'empare du cadeau.

– À Michèle, de ton mari. Trois p'tits becs. C'est vrai que c'est écrit tout croche.

– Je vais aller la chercher, propose Jocelyne.

Ma mère se rend à la salle de bains et, au loin, une négociation s'amorce. Les deux sœurs réapparaissent au salon cinq minutes plus tard.

Michèle s'assoit sur le même divan que moi. Avec la différence de poids, je me retrouve penché vers elle. Je dois lutter pour ne pas aboutir sur sa bedaine.

Elle développe le paquet, les yeux rougis, puis sort un morceau de tissu plié, que l'on devine être un chandail. Elle déplie le gilet, le regarde sans rien dire. Je suis aux premières loges pour assister au spectacle.

*Yark!*

Jamais rien vu de tel. Je gage qu'elle va retourner pleurer dans les toilettes d'ici à cinq secondes. Dommage que personne ne filme cette scène savoureuse, on gagnerait à coup sûr le premier prix d'une émission de vidéos comiques. Sa face vaut mille piastres.

Silence de mort dans le salon.

– Oooooooh! s'exclame Rose. C'est beau!

Ce chandail est encore plus laid que celui que portait madame Béliveau lors de la dernière journée d'école. Un polar vert forêt avec des cœurs mauves brodés. Costume tout droit sorti d'une émission pour enfants.

Il faut le faire quand même. Tu entres dans un magasin de vêtements pour acheter un chandail et tu en ressors avec le pire choix possible. J'aimerais bien rencontrer le designer qui a conçu ce chef-d'œuvre.

*À quoi tu pensais, Claude?*

Claude sourit de malaise, conscient que sa femme ne semble pas apprécier le morceau de vêtement. Avec son bon caractère, il lui mentionne qu'il est toujours possible de l'échanger si la grandeur ne fait pas. Il ne précise pas qu'elle peut le retourner parce qu'il s'agit de la pire horreur vestimentaire de l'histoire, mais on devine que c'est ce qu'il essaie poliment de lui dire.

— Tu l'aimes pas? demande-t-il.

Michèle ne dit rien. Quelques veines dans son visage menacent d'exploser. Claude avait-il bu avant d'acheter ce chandail? Tous les goûts sont dans la nature. C'est d'ailleurs là que risque de se retrouver ce polar. Dans la nature, au fin fond d'un dépotoir.

— Merci, finit-elle par dire, les sanglots pas très loin.

— Oh, c'est très beau! répète Rose.

Claude éclate de rire.

– Ben non, c't'une joke! Ha! Ha! Je vous ai bien eus! Pas pire ma face de gars mal à l'aise, hein?

Tout le monde part à rire. Même Michèle est crampée. Son corps est pris de violentes secousses qui me font sauter sur le divan.

– Eille fiou! Je commençais à avoir chaud! Maudit qu'il est lette! Où est-ce que t'as trouvé ça, maudit niaiseux?!

Elle lui lance le chandail de toutes ses forces.

– À la friperie en face de la job.

– Misère, le designer devait être sur la brosse!

Cette excellente farce ramène la paix. Peut-être aurons-nous finalement droit à une trêve…

La tradition veut que la personne qui vient de déballer une cochonnerie aille sous le sapin en piger une autre au hasard. Michèle choisit un tout petit sac orné de rubans verts et rouges et lit l'étiquette.

– À Robert, de Bine.

– C'est qui, ça? demande Rose.

– C'est le surnom de Benoit-Olivier, répond ma mère en lui mettant une main sur l'épaule.

Mon père regarde à travers le sac de plastique transparent.

– C'est quoi? demande-t-il avec le moins d'entrain au monde.

– Des bonbons, Robert, répond ma mère.

– À la menthe, que j'ajoute, sachant très bien que ça ne changera rien à sa déception.

– C'est-tu une autre joke de Claude, ça ?

– Non, moi, ma blague est faite ! se défend Claude.

– Ah ben… merci, dit Robert un peu mal à l'aise. Coudonc, est-ce que je pue de la yeule ?

*Beaucoup !*

– Je peux répondre à ta place ! rigole Claude.

Il n'aime pas trop les friandises que je lui ai choisies, c'est clair. Probablement déçu que ce ne soit pas son coffret ridicule de *Rocky*.

– Tu vas être bien content d'avoir des bonbons à te mettre sous la dent quand tu vas arrêter de fumer ! lance ma mère à ma défense.

– Sont-tu bons jusqu'en 2088, ces bonbons-là ? blague à nouveau Claude qui, décidément, n'en rate pas une.

– Qu'est-ce que tu racontes là ? demande mon père, insulté. J'ai aucunement l'intention d'arrêter.

– C'est pas ce que t'avais dit l'autre fois.

– Ah oui ? Qu'est-ce que j'avais dit ?

– T'as dit : « Après les fêtes, j'arrête de fumer. »

– J'ai jamais dit ça !

– En tout cas… conclut ma mère en levant la main pour lui faire signe que la conversation s'arrête là. Laisse faire, pis dis merci à ton gars.

Mon père me serre la main mollement. Je remarque ses doigts jaune foncé. À cause de la cigarette, on dirait qu'il crème ses mains sèches avec de la cire d'oreille.

Il se dirige ensuite vers le sapin et comme mon humiliation n'est pas assez grande, il choisit l'autre sac de bonbons.

*Une autre qui va être déçue…*

Mais non.

Jocelyne y met de la moutarde, essayant de redonner un peu de vie au pire réveillon de la ville. Elle crie des «Ah, mon Dieu!», «Comment t'as fait pour savoir que j'aime les truffes?», «Tu connais bien les goûts de ta mère!», «Ah! Wow! Est-ce que je peux en manger une tout de suite?» Elle se jette sur moi et m'asperge de salive en me donnant des becs pour toute la prochaine décennie. Ne manque que l'évanouissement et on lui décerne l'Oscar de la meilleure actrice.

Elle continue de complimenter mon cadeau en se dirigeant vers l'arbre artificiel et ses trente centimètres d'espace entre chaque branche. J'espère que Maxim sera aussi emballée en ouvrant sa boîte bourrée de bonbons. Mon esprit s'égare. J'imagine la scène.

*Ah! Merci Bine, t'es gentil! Ça fait longtemps que je veux te le dire: chaque fois que tu comptes un but au soccer, j'ai envie de te sauter dans les bras et de t'embrasser. Je rêve de déguster tous les jelly beans collée contre toi et de te roter des mots d'amour dans l'oreille. Je pense toujours à toi tellement que je t'aime.*

– À Bine, de Jocelyne et Robert!

La voix enjouée de ma mère me sort de mon rêve amoureux.

Mon cadeau.

Enfin!

– Joyeux Noël et bonne fête, mon grand! ajoute-t-elle en me tendant une énorme boîte emballée.

Ce cadeau ne dormait pas sous le sapin, je peux le jurer. J'ai tout examiné avant le souper. Je connais chaque paquet par cœur. Mon père ou quelqu'un d'autre a dû aller le chercher dans une pièce pendant que ma mère faisait diversion près de l'arbre. Je ne me suis aperçu de rien, je rêvais à la plus belle fille de l'école.

Quelque chose gigote dans la boîte. J'écarquille les yeux. J'ai quasiment envie de remercier Dieu en me roulant tout nu dans la neige. Mes prières ont porté leurs fruits.

*Merci Dieu, si jamais Tu y es pour quelque chose. Et puis, même si Tu y es pour rien, merci quand même !*

Je flotte dans mes culottes. Je me calme les pompons en arrachant le papier d'emballage, histoire de ne pas effrayer mon chien.

– Je pense que tu vas être très content, dit ma mère, l'appareil-photo dans les mains.

Elle attend de voir la bête contre moi pour appuyer sur la détente et ainsi immortaliser ce premier contact entre le meilleur ami de l'homme et l'ado.

À ma grande surprise, pas de berger allemand, de cocker, de bouvier bernois, d'airedale, de colley, de chihuahua, de schnauzer, de danois, de shih tzu, de labrador, de terre-neuve, de boxer, de caniche, de husky, d'épagneul, de teckel, de fox-terrier, de bulldog, de lévrier, de pékinois, de retriever, de pitbull ou de beagle.

Rien de tel.

Lorsque plus aucun papier ne recouvre la cage en plastique brun épais, j'aperçois à travers un trou une horreur.

CLIC !

Sur la photo, j'aurai la face d'un gars qui vient de marcher dans un tas de merde avec ses souliers neufs.

– Miaou!

Mon chien, transformé en bibitte laide, se plaint déjà.

*PAS UN CHAT?!*

Pour emprunter une phrase de mon père: «Un chat, un chat... c'est épais ça, un chat!» Qui est l'idiot qui a eu l'idée de remplacer un chien par un chat? Aussi bien échanger notre maison contre une tente de camping un coup parti!

*Y'est donc ben lette!*

Ils sont tous laids d'ailleurs.

Existe-t-il un chat capable d'apporter le journal à son maître? Avec sa petite bouche, il serait à peine capable de saisir une circulaire d'épicerie. De toute façon, ce félin est trop occupé à courir après sa souris en caoutchouc pour penser livrer *La Presse* à la presse à son maître. Pour les pantoufles, n'y pensons même pas. La seule chose qu'il peut faire avec, c'est y cracher une grosse boule de poil.

Ça doit tellement paraître que j'ai envie de le balancer par la fenêtre. Tous les autres s'extasient devant la bête.

– Oh! qu'il est mignon! lance Michèle.

— Mignonne, corrige Jocelyne.

— Tiens, Michèle, je te la donne, que je réponds d'un naturel déstabilisant.

— Non, non, je disais ça de même. Pis de toute façon, c'est ton cadeau, dit Michèle en se poussant.

— Tu n'es pas content, Benoit-Olivier ? demande ma mère, attristée.

— Je voulais un chien, pas un chat, dis-je avec un léger chat dans la gorge.

— On s'en est parlé de ça, avec les allergies de Robert... m'explique-t-elle calmement.

— T'aurais dû demander un chameau à une bosse ! blague Claude, qui se la ferme aussitôt, un peu gêné de sa joke plate.

— Sa niche, on l'aurait mis dehors, pas dans votre chambre !

— Je comprends Benoit-Olivier, mais un chien peut pas rester à l'extérieur vingt-quatre heures sur vingt-quatre, à longueur d'année.

Ma cause est perdue. Si ça continue, je vais l'étrangler. Le chat aussi.

Contrairement à Claude, mère Noël ne m'offre pas de l'échanger si ça ne fait pas, si la couleur ne va pas ou si le type d'animal ne correspond pas à ce que je désirais.

Incapable de retenir mes larmes plus longtemps, je cours vers ma chambre, m'y enferme et saute sur la pile de manteaux.

Mais qu'est-ce que je vais faire avec un chat ?

C'est vraiment chien, ça !

## Chapitre 9

# Mystère et boule de poil

– Il est où? demande Maxim.

– En passant, c'est une femelle… Je sais pas, elle a disparu pendant qu'on déballait les cadeaux et on l'a pas revue depuis deux jours. Elle doit se cacher quelque part dans la maison.

– Elle doit avoir peur.

– J'm'en fous.

Nous sommes le 27 au matin. Maxim est revenue de chez ses grands-parents. Je me suis ennuyé de son petit sourire, de son petit nez, de ses petites oreilles, de son petit tout. Je la dépasse de trois têtes, on pourrait croire qu'il s'agit de ma petite sœur.

Maxim porte un pantalon de jogging noir dans lequel elle flotte. Son fond de culotte pend comme des pantalons de yo. Son chandail jaune lui donne un air rayonnant.

Je porte des jeans et mon éternel kangourou bleu marine sur lequel est écrit en lettres orange «Syracuse», le nom d'une équipe universitaire américaine. Je n'ai aucune idée d'où se trouve cette ville, pas même du sport que pratique cette équipe. En fait, sans le savoir, je suis peut-être partisan d'une équipe de ping-pong en collants roses. Je le trouvais tout simplement beau, ce coton ouaté. Un peu trop même. Je le porte à peu près chaque jour depuis deux ans, le mettant au lavage seulement lorsqu'une grosse tache de yogourt ou de mayonnaise y apparaît. Il commence à être exagérément trop petit. Tellement qu'aussitôt que je lève les bras, je me retrouve les manches aux coudes.

– Pourquoi on ne le cherche pas ? demande Maxim.

– Je fais juste ça depuis deux jours.

À peine sorti de la cage pendant le dépouillement, mon cadeau avait pris la poudre d'escampette, sans laisser la moindre note sur sa destination.

– Cherche comme il faut ! Il doit être mort de peur !

– Ou morte tout court.

– Non, dis pas ça !

Maxim n'est pas méchante pour cinq cennes. Elle ferait mal à une mouche, mais c'est à peu près tout.

– Il a l'air de quoi au juste ? demande-t-elle.

– Euh… d'un rat qui souffre d'anorexie.

– Qu'est-ce que ça veut dire, ça?

– Qu'il est maigre parce qu'il mange pas.

– Il est petit?

– Qui ça?

– Ton chat, c't'affaire!

– C'est une femelle que je t'ai dit! Aux dernières nouvelles, elle n'a pas de pénis. Pis on dirait qu'elle a jamais mangé de sa vie. En plus, elle est grise. Comme à peu près cinquante-six mille autres chats.

Maxim me tire par le bras.

– Viens, on va le chercher, il peut pas être à mille endroits. C'est quoi son nom?

Avec ma face bizarre, elle devine que je n'y ai même pas songé.

– T'as pas encore donné de nom à ton chat?

– C'est pas un chat, c'est une chatte! Chatte, c-h-a-t-t-e. Nom féminin. Comme dans la phrase: «Le mot *chatte* est un nom féminin.»

– As-tu donné un nom à ta chatte, d'abord?

– Non. J'ai même pas eu le temps d'y dire bonjour.

– Mais t'as eu le temps de voir qu'elle avait pas de pénis?

– Non, c'est ma mère qui m'a dit que c'était une femelle.

– Bon… Vu qu'il…qu'ELLE est maigre, tu pourrais l'appeler Anorexie. C'est cute, non?

– J'avoue. J'aurais pas pu trouver mieux. ANOREXIE, VIENS ÉCOUTER LA TÉLÉ! ANOREXIE, T'ES LAIDE!

– Niaiseux!

On se met à rire, puis elle me tire encore le bras gauche – qui allonge de quelques centimètres, ce qui rend le droit jaloux – pour qu'on amorce nos recherches.

Je me sens moins gêné avec elle aujourd'hui. Je suis capable de parler sans bégayer, de dire autre chose que «ouais» ou de m'empêcher de stresser avec ma prochaine réplique tel un acteur de théâtre un soir de première. Probablement parce qu'il n'y a personne autour. Pas d'élèves pour épier et aucun parent en vue. Ils travaillent. Ils me laissent me garder toute la journée pour la première fois. Avant de quitter ce matin, mon père rageait de jalousie.

– On n'était pas gâtés comme vous autres dans notre temps. Vous êtes toujours en congé.

Les adultes pensent qu'ils allaient à l'école trois cent soixante-cinq jours par année dans ce qu'ils appellent «leur temps».

Comme de véritables agents à la recherche d'un enfant perdu dans le bois, on scrute méthodiquement chaque recoin de la maison. Il nous manque juste un pinceau et de la poudre pour prendre des empreintes. Même si ma chatte n'a aucune idée de son nom, on le crie durant les fouilles.

– ANOREXIE! ANOREXIE!

On soulève les coussins des divans et des lits, on tasse chaque meuble. On trouve bien des minous de poussière, mais pas d'Anorexie.

Rien. Ni à l'étage principal ni au sous-sol en construction. Mon père est en train de refaire le plancher et les murs parce qu'avant, c'était un buffet de béton froid et de fils d'araignées. Là, il «finit» la cave comme il dit, pour en faire un spacieux cinéma-maison avec de beaux murs fraîchement peints et du tapis neuf pouvant abriter des acariens. Au rythme où il avance, ça devrait être prêt d'ici quatre ans.

– Peut-être qu'elle s'est sauvée par la porte quand vous êtes sortis, propose Maxim. Ton père va souvent fumer sur le balcon.

– Ça me ferait pas une miette de peine qu'elle se soit enfuie, mais il l'aurait vue.

– On sait jamais, des fois, endormi. Ça court vite un chat... Savais-tu que j'en ai déjà eu une pendant trois mois quand j'étais petite?

– Il s'est sauvé?

– C'était une femelle, je viens de te dire que j'en avais eu «une», dit-elle pour se venger. Non, elle s'est fait frapper.

– Par une auto?

– Non, un bicycle.

– Une moto?

– Non, non, un bicycle à pédales!

J'éclate de rire.

– Par un vélo? Le gars a dû prendre une méchante débarque!

Maxim ne la trouve pas drôle. Mon cerveau manque d'oxygène tellement je ris. Je ne sais pas où elle se trouve, mais ma rate se dilate, j'en suis convaincu. Elle comprime tous mes autres organes. Mon ventre me fait vite souffrir. J'ai l'impression d'avoir fait trois heures de redressements assis. Le visage de Maxim demeure sérieux, aucune lueur d'amusement. Malaise. Mon rire se transforme en toussotements, puis j'avale.

– Excuse-moi, c'est juste que je m'attendais à ce que ce soit une auto ou bien un camion. Pas un bicy…

Impossible de prononcer le mot. Si je le dis, je vais rire jusqu'au retour des vacances.

Maxim se lance sur moi et essaie de me jeter en bas du divan.

– T'es vraiment fatigant aujourd'hui, toi!

Je me débats tant et si bien qu'elle est incapable de me saisir les jambes. Tous mes membres exécutent la danse du bacon. C'est la seule danse que je pratique; je pourrais donner des cours tellement j'excelle. Elle se rue donc vers mes hanches et me chatouille. Je rigole et la supplie.

– Arrête, arrête, je peux plus respirer!

– Ouin, pis?

Sa détermination à me faire tomber du mont Divan s'avère aussi forte que la sauce Tabasco. Je lui saisis les deux mains, tente une manœuvre de lutte que je ne connais pas encore et, grâce à ma force herculéenne, j'inverse les positions: elle se retrouve couchée sur le sofa et moi par-dessus. Toute surprise du revirement de situation, elle cherche à se déprendre. Ma prise est infaillible.

Je prends une vieille voix en pincettes.

– Donne un bec à matante!

Je me penche sur elle comme si je voulais lui donner un gros bec sec avec des lèvres plissées. Je rêve juste de l'embrasser, mais je n'ose pas. Maxim essaie de rentrer sa tête dans ses épaules, sans succès. Elle n'est pas une tortue et, si je me fie à ses talents pour se défendre, encore moins une tortue ninja. Prise au piège, elle ouvre la bouche et me lâche un long rot à trois centimètres du nez. Une odeur de beurre de pinottes en mode digestion lance un signal à mon cerveau. Je me lève d'un bond.

— Eille, Maxim, j'avais complètement oublié ton cadeau!

— Un cadeau? Quel cadeau? me demande-t-elle, surprise d'être libérée de mon emprise.

Je cours vers ma chambre pour aller chercher les trois tonnes de bonbons dégueulasses. La boîte est cachée à l'endroit le moins original. Je me penche sous mon lit quand soudain, j'entends un cri.

— BINE! VIENS ICI, VITE!

Je laisse tomber le paquet sur le matelas et accours vers le salon. Au son de sa voix, elle vient de gagner le gros lot ou un maniaque à la tronçonneuse la décapite. J'hésite. J'arrive en Batman, prêt à défendre ma Robine des bras du méchant Joker. Ma belle affiche un sourire mélangé à un regard de « c'est-donc-ben-bizarre-ce-qui-arrive ».

— Je viens de l'entendre!

— Qui ça?

— Britney Spears!... Ton chat, c't'affaire!

— Tu me niaises?!

– Non, je te jure, écoute. Arrête de respirer, tu vas voir.

Je retiens ma respiration. J'entends mon cœur battre et mon hamster tourner dans ma tête. Rien d'autre.

– As-tu entendu?

– Non.

– Câline de bine, Bine, es-tu sourd? Je pense que ça vient du plancher.

Sceptique, je me penche et me colle l'oreille sur une latte de bois franc. Cela ne prend pas une seconde que je distingue les plaintes d'Anorexie. Je me relève, incrédule.

– On dirait qu'elle est pognée dans le plancher!

– C'est ce que je me tue à te répéter!

– Qu'est-ce qu'elle fout là?

*Question niaiseuse!*

– Je sais pas, mais il faut la sauver!

## Chapitre 10

# Un chausson au poisson avec ça?

Les murs du sous-sol sont terminés en bonne partie. À un certain endroit, on voit encore la mousse rose piquante dans une ouverture. Mon petit doigt et les quatre autres me disent qu'Anorexie s'y est faufilée. À sa grosseur, elle pourrait s'infiltrer dans un trou de souris et y pratiquer la danse aérobique.

– Si on ne la sort pas, elle va mourir dans tes murs! dit Maxim sous le choc.

– Oui, pis ça va sentir le yable!

– Imagine crever de faim parce que t'es incapable de retrouver ton chemin. Juste à y penser, j'ai des frissons!

– Mon chien serait assez brillant pour retracer ses pas.

– Avec sa boussole, je gage? De toute façon, ton chien aurait jamais pu se faufiler dans le trou.

– Tu vois, j'avais raison.

Maxim se penche tout près de la fente. Elle donne de petits coups sur un madrier de bois, et fait des bruits de becs pour l'appeler.

– Viens ici, mon beau ! Viens voir Maxim !

– Une femelle, Maxim, pas un mâle.

– Viens, ma belle Anorexie. Viens voir Maxim !

On entend des miaulements, mais difficile d'en déterminer la provenance exacte. La chatte est quelque part entre le plafond de la cave et le plancher du salon. Faudrait tout arracher pour la trouver. Si je le fais, c'est plutôt ma tête que mon père va arracher.

– J'ai une idée ! lance Maxim.

– Acheter un chien ?

– Arrête de niaiser, c'est pas drôle !… On pourrait placer une assiette de poisson près du trou. L'odeur l'attirerait. Les chats aiment ça, le poisson.

– Pas du poisson, ça pue.

– C'est ça le but. On n'est quand même pas pour mettre une bûche de Noël ! En avez-vous ?

– De la bûche ?

– Du poisson, nono ! Vous avez pas des cannes de thon ou de saumon ?

Un éclair de génie pas trop brillant me foudroie.

– On a une tablette complète de sardines. J'y avais pas pensé.

Ses yeux deviennent plus gros que ceux du hibou. Je cours au garde-manger. Sauver Anorexie ne me tient pas autant à cœur que de faire plaisir à Maxim.

Quand les sardines viennent en spécial à l'épicerie, ma mère vide l'étalage. Sa plus grande phobie est de manquer de poisson. Elle multiplie les réserves au cas où une guerre éclaterait. Elle adore les sandwiches sardines-moutarde. Ça pue dans toute la maison pendant une semaine chaque fois. J'en saisis quelques-unes.

– Ça va être parfait, dit Maxim.

Elle ouvre cinq conserves tout près du trou. Mes narines rasent de s'évanouir. Les sardines dégagent l'odeur d'un dépotoir. Si jamais la chatte n'entend pas l'appel de la mort, c'est qu'elle a un sérieux problème d'odorat.

– Qu'est-ce qu'elles mangent pour puer de même? Des vidanges?

– Je sais pas comment ta mère fait pour en manger.

Nous nous reculons de quelques pas pour admirer notre piège. Ou plutôt la zone attirante. Une oasis de poissons dans un désert de mousse rose.

– Bon, qu'est-ce qu'on fait maintenant? que je lui demande.

– Elle a peur de nous autres, on devrait s'en aller. Elle est déjà assez stressée comme ça.

– On devrait aller jouer au hockey dehors.

– Bonne idée.

En moins de temps qu'il n'en faut pour caler un verre d'eau, nous sommes habillés et déjà dehors. J'installe mon but de hockey dans la cour avant, puis prête un bâton à Maxim. Dès que je dépose la balle orange par terre, une voix s'élève.

– Coucou !

Je me tourne et aperçois Tristan, notre chien de poche national.

*Ah non, pas lui !*

Bâton de hockey à la main, bien habillé de la tête au pied, il nous a sans contredit espionnés tout l'avant-midi.

– Salut, Bine. Salut, Maxim !

– Allô, Tristan ! dit Maxim. Veux-tu jouer au hockey avec nous ?

– Oui, bien sûr. J'ai reçu un bâton pour Noël. Regardez !

– Tu seras pas meilleur avec ce bâton-là !

– Bon, bon, regarde Bine qui a déjà peur de perdre ! dit Maxim en donnant une tape sur l'épaule de Tristan. Viens, tu es dans mon équipe.

C'est comme si Maxim l'avait invité à passer la nuit dans son lit. Il devient tout excité. Sous son gros manteau, je suis certain qu'il tremble.

Pour le deuxième but, nous cassons deux blocs de neige durcie en guise de poteaux. Comme je joue seul, nous faisons mon but plus petit.

– Partie de cinq points?

– Parfait, répond Maxim.

– Comment ça marche, les points? demande Tristan.

*Misère…*

– Comme au soccer. Un point par but.

– OK, je suis prêt! s'exclame Tristan

Pour laisser aller son trop-plein d'enthousiasme, il tente de frapper un morceau de glace, mais sa palette de bâton passe dans le beurre.

– Va dans les buts, Tristan, dit Maxim.

Il s'exécute immédiatement. Elle lui aurait demandé de s'enduire le corps de sirop au chocolat, puis de marcher sur des trappes à souris en chantant le *Ô Canada* qu'il aurait acquiescé avec un enthousiasme sans borne.

– Je commence. Zéro à zéro.

Je dépose la balle tout près de mon but archaïque, puis m'élance vers Maxim pour la déjouer. Je feinte vers la droite, ramène la balle vers la gauche sous son bâton. J'avance de deux pas, laissant Maxim confuse derrière moi, puis à environ cinq mètres de Tristan, je prends un élan pour un lancer frappé. Au même moment, une pointe de soleil m'aveugle. Je décoche mon boulet. Du peu que je puisse distinguer, la balle se dirige dans la bonne direction. J'entends un bruit sourd.

– J'ai pu d'œil! J'ai pu d'œil! J'ai pu d'œil!

Tristan a la mitaine droite sur son œil gauche et il court comme une poule pas de tête. Maxim court vers lui.

– Tristan, es-tu correct?

– J'ai perdu mon œil! hurle-t-il en panique.

– Mais non, mais non! Ôte ta main que je vérifie.

Maxim n'a pas le temps de jouer à l'infirmière, Tristan court en pleurant vers la maison où il habite seul avec sa mère une semaine sur deux. Il traverse la rue, puis se réfugie dans la cinquième maison vers la gauche.

La porte est fermée et pourtant, on l'entend encore hurler au loin.

– J'ai pu d'œil! J'ai pu d'œil!

Maxim me regarde, éberluée.

– On n'a même pas eu le temps de jouer dix secondes.

– Ça doit être le record de la partie la plus courte de l'histoire.

– Dommage, c'était un bel arrêt. Quand tu m'as déjouée, j'ai juste eu le temps de me tourner. Je l'ai vu se pencher pour défier ton lancer. La balle était *top net* sinon.

– Faire un arrêt de la tête, c'est ben Tristan, ça !

Je prends le bâton de Martin Brodeur junior abandonné tout près du but de métal rouge et le lance dans la remise.

– J'y redonnerai une autre fois. Je pense qu'il va être un bon bout sans vouloir jouer au hockey.

– J'espère qu'il va être correct… Bon, j'ai plus ben, ben envie de jouer. T'avais pas un cadeau à me donner ? demande-t-elle.

– Ah oui, c'est vrai ! Vite, on rentre !

Nous nous déshabillons, puis courons vers ma chambre.

– Mais pourquoi tu me donnes un cadeau ? J'en ai pas pour toi, moi !

Elle déballe le paquet comme si elle en voulait au papier. Ses yeux s'écarquillent.

– Des jelly beans ! Mes bonbons préférés !

– Eux autres sont spéciaux. Goûtes-y.

Elle en met un dans sa bouche et devient toute pâle.

– Yark ! Ça goûte les sardines !

– Normal, c'est une des saveurs.

– Non, c'est mes mains qui puent! dit-elle, les doigts sous les narines. Sens les tiennes.

Une fraîche puanteur de cadavre découvert après six mois de décomposition colle encore à nos mains. Bon, ce n'est pas tous les jours que je trouve des morts, mais je peux imaginer l'odeur. J'ai pris toutes les précautions nécessaires pour ne pas toucher au jus gluant de sardine. Le parfum hypocrite m'a sauté dessus quand même.

Ne courant aucun risque, on se désinfecte les mains jusqu'aux coudes à la salle de bains. Pendant ce temps, je lui énumère les saveurs des bonbons que j'ai retenues.

– J'ai hâte de goûter à celles aux crottes de nez, dit Maxim.

– On devrait les garder pour Tristan!

Durant une bonne heure, on se bourre la fraise en se racontant notre réveillon de Noël jusque dans les moindres détails. On essaie de deviner la saveur de la fève avant de se la mettre dans la bouche, car les couleurs se ressemblent, variant du gris mauve au gris métal. Peu appétissant. Ceux à la vomissure sont les plus mauvais, goûtant exactement ce que le jeune vendeur m'avait promis.

– Moi, je pense que mes préférés, c'est ceux à la poussière, dit Maxim, hésitante.

Chez ses grands-parents, ils avaient fêté jusqu'à six heures du matin. Leur dinde était tendre et juteuse. Pour dessert, rien qui se rapprochait de notre poison à rat. Aucune chicane. Elle a reçu tellement de cadeaux qu'elle en oublie quelques-uns en me les énumérant.

– Et toi, qu'est-ce que t'as eu?

– Anorexie.

– Je sais. À part de ça.

– C'est tout.

– C'était pas ta fête en même temps?

– Oui, mais j'ai juste eu un cadeau.

– Ah ben... c'est pas grave, conclut Maxim, qui ne sait vraiment pas quoi dire. Avoir su je t'aurais acheté un cadeau!

– Tu peux toujours me donner ton iPod.

– Ha! Ha! Bien essayé!

On arrête de manger les bonbons au moment où chacun goûte le mal de cœur. Nous avons consommé assez de sucre pour tuer douze diabétiques.

– Il est pas si laid que ça! s'exclame Maxim.

– Qui ça, Tristan?

– Ton chat, regarde! dit-elle en pointant en direction de la porte de ma chambre.

Anorexie nous observe comme si de rien était. Elle se lèche les babines et pousse un timide miaulement, comme pour s'excuser de sa disparition. Elle se gratte l'oreille et un petit morceau de mousse isolante tombe.

L'animal s'avance lentement vers nous, saute sur le lit et lèche les doigts de la jumelle de Kristen Stewart.

— Même le savon vient pas à bout de l'odeur des sardines, dis-je en me sentant les doigts pour confirmer.

— Peut-être qu'il aime l'odeur des jelly beans, me corrige-t-elle. Il n'y en a pas à saveur de bouffe à chat?

Je lui souris.

Maxim flatte le dos de mon rat géant qui ronronne.

Elle sourit aussi.

Anorexie l'aime déjà. Maxim aussi.

Moi aussi, je l'aime. Pas Anorexie, Maxim.

Ma main n'est pas très loin de la sienne. Nous caressons tous les deux le dos du chat. Je lui frôle la main une fois. Elle ne dit rien. Je continue de flatter le poil ras de la bête grise. Mes battements de cœur enterrent ses ronronnements. Prenant mon courage à trois mains, j'effleure à nouveau la paume de Maxim. Elle me regarde avec ses beaux petits yeux noisette. Toujours aucun mot. Dans son visage, je lis que le moment est choisi pour l'embrasser. Ses pupilles me donnent la permission. Je suis comme des cheveux avec trop de gel : complètement figé.

Pour la première fois, je me pose ce que je qualifierais de la question la plus idiote de tous les temps.

*Comment est-ce qu'on embrasse une fille ?*
JE N'EN N'AI N'AUCUNE N'IDÉE !

Elle s'approche de moi et me susurre à l'oreille.
– J'attends ce moment depuis longtemps.

Elle ouvre légèrement la bouche, ferme les yeux, puis m'embrasse tendrement durant de longues secondes. Je passe à un beau cheveu brun de mourir.

# Chapitre 11

# Les Olymparcs

– Salut, vous deux! crie une voix.

*HEIN? QUOI?*

Je reviens à la réalité. On est en train de flatter le dos d'Anorexie. Nos lèvres n'ont pas fait connaissance. Je redeviens Bine, le gars qui n'a jamais embrassé de fille. La scène paraissait pourtant si réelle.

– À quoi tu pensais les yeux fermés? demande ma mère qui est apparue par magie.

*D'où tu sors, toi?*

– Euh… À rien. Qu'est-ce que tu fais ici?

– J'ai décidé de passer à la maison pour voir si tout se passait bien.

– Pour m'espionner, finalement.

Elle ignore ma remarque.

– Comment tu vas, Maxim? Ça faisait longtemps que je t'avais pas vue!

– Bien, merci.

– Hé, on dirait que ta chatte est sortie de sa cachette, dit ma mère qui s'approche pour lui flatter les os poilus.

– Son nom, c'est Anorexie.

– Très drôle, Benoit-Olivier! dit ma mère qui se tourne vers Maxim pour avoir la vraie version de l'histoire.

– C'est vrai, madame Lord.

Elle grimace.

– C'est Maxim qui a trouvé le nom.

L'attitude de ma mère change, comme si le fait que ce soit Maxim qui ait trouvé le nom «Anorexie» changeait quelque chose dans son appréciation.

– Eh bien, après tout, c'est ton cadeau. C'est toi qui décides!

Elle lui flatte le cou, se relève, puis retourne dans l'embrasure de la porte.

– Bon ben, je vous laisse, je retourne au travail. Je dînerais bien avec vous autres ici, mais j'ai laissé mon lunch là-bas. Bye!

Elle part, puis revient quatre secondes plus tard.

– Arrangez-vous pas pour qu'Anorexie se sauve encore!

– Oui, m'man, que je réponds avec une voix de robot.

Elle part, puis revient trois secondes plus tard.

– S'il y a quelque chose, mon numéro est sur le frigidaire.

– Oui, m'man.

Elle part, puis revient deux secondes plus tard.

– Il y a plein d'affaires pour dîner. Fouillez!

– Oui, m'man.

Elle part, puis revient une seconde plus tard.

– Bon ben, bon après-midi!

– Bye bye! dit Maxim.

Elle part et ne revient pas zéro seconde plus tard.

– As-tu faim? que je demande à Maxim.

– Es-tu fou?! On a ben trop mangé de bonbons.

– Moi aussi, j'ai zéro faim.

Comme je crains de sombrer à nouveau dans des rêves où Maxim m'embrasse comme une passionnée, je suggère la première idée qui me vient en tête.

– On devrait l'emmener au parc.

– Elle a pas de gras sur le corps pis il fait moins quarante dehors.

– On s'en va pas faire le tour du Canada. Juste quelques minutes.

– As-tu une laisse au moins?

– Non, mais on pourrait prendre de la corde.

Je vais dans le garage chercher la corde jaune qu'on utilise pour attacher les piquets de notre tente de camping. En fait, nous sommes allés camper une fois l'été dernier, et si je me fie à tous les jurons lancés par mon père en se faisant bouffer vivant par les moustiques, la prochaine escapade en nature risque d'être dans une prochaine vie.

Maxim essaie de passer la corde au cou d'Anorexie. Moi, je la retiens, car elle lutte pour sa survie. A-t-elle l'impression qu'on la condamne à la pendaison? Une vieille histoire me revient.

– J'ai entendu une fois qu'une bonne femme avait mis son chat dans le micro-ondes parce qu'il était tout gelé. Elle voulait qu'il se réchauffe. Ç'a l'air qu'il a explosé.

– Franchement, tu racontes n'importe quoi! dit-elle en lançant la corde, découragée. Je suis pas capable de l'attacher, elle gigote trop.

– Pas besoin, on a juste à la surveiller.

– S'il voit un oiseau ou un autre animal, il va partir à courir et on pourra jamais le rattraper.

– T'oublies que je suis le plus rapide de l'école.

– Regarde le vantard! Je suis certaine que je te clenche, lance-t-elle, confiante. Oublie pas que j'ai gagné les olympiades l'année passée à mon ancienne école.

– À ton autre école, justement. Ici, t'auras aucune chance en juin. Pas tant et aussi longtemps que le légendaire Bine va être là. On peut faire une course si ça te dérange pas trop de perdre.

– Quand tu veux. Je suis même prête à gager.

– Parfait, le perdant ou plutôt la perdante doit manger une canne complète de sardines.

– Et boire le p'tit jus dans le fond de la canne.

– Yach! C'est dégueulasse!

– As-tu peur? À t'entendre, tu cours plus vite qu'une panthère noire.

– Peut-être pas, mais même Tristan te battrait!

Le défi n'est pas tombé dans l'oreille d'un sourd, ni d'un muet et encore moins d'un infirme. Je me penche et saisis la corde. Je fais trente-six mille tours autour du corps d'Anorexie. Elle peut à peine bouger, juste respirer. Impossible qu'elle se défasse de ses liens. Même des voleurs seraient jaloux de l'efficacité avec laquelle j'ai attaché ma victime.

– Attention pour ne pas l'étouffer, me prévient Maxim.

– Concentre-toi sur ta course, t'en as vraiment besoin!

– Je tremble de peur! Brrrrr! dit-elle en faisant semblant de frissonner.

Une fois au parc, à quelques maisons de chez moi, nous déterminons la longueur de la course. Le terrain de soccer se transforme en piste d'athlétisme. Avec le froid, la neige a durci. Je sors mon rat, que j'avais glissé dans mon manteau, puis l'attache à un poteau du but avec le long bout de corde jaune qui pend derrière elle.

Maxim et moi nous plaçons côte à côte. La tension est palpable. On dirait les Français contre les Italiens en finale de la Coupe du monde de soccer. Pendant un instant, j'oublie qu'elle est ma meilleure amie. J'oublie sa beauté. Durant les prochaines minutes, elle sera mon ennemie jurée.

— Es-tu prêt ? demande-t-elle sur un ton menaçant. À Go, on part !

— Tu vas dire « 1-2-3-Go » ou bien juste « Go » ?

— Comme d'habitude : « 1-2-3-Go », dit-elle en prenant position. 1-2…

— Attends ! Là, pas d'affaires de « 1-2-3-ketchup » ou « 1-2-3-moutarde » !

— Coudonc, as-tu si peur de perdre ?

— Non, tu serais en bicycle que je serais même pas nerveux. Mais ce serait plus juste si Anorexie donnait le signal avec un fusil.

— Donne le signal, toi, si t'es pour te trouver des excuses quand tu vas perdre.

– Non, non. Vas-y.

Je prends ma position de sprinter, à la Usain Bolt, et fixe le but de l'autre côté, le point d'arrivée. Il est loin en titi. Je ne peux pas partir en fou, sinon je vais manquer de gaz en chemin. Elle donne le signal sans tricher.

– 1-2-3-GOOOOOOOOO !

J'oublie mon plan de match dès cet instant et cours sans réfléchir, comme lorsque Tristan a perdu son œil un peu plus tôt. L'ennemie connaît un bon départ. On bataille du coude côte à côte. Je me défonce comme jamais. Mes grands bras battent tellement vite, on dirait que je vais m'envoler. Ça court mal avec des bottes d'hiver et quarante épaisseurs de vêtements.

À mi-chemin, je regarde derrière : un petit mètre d'avance. Comme un coup de pelle surgi de nulle part, une furieuse envie de vomir me frappe le ventre. Mon dîner de fèves en gelée me remonte à la gorge et me rappelle que la modération a bien meilleur goût.

J'avale quelques gorgées d'air glacé et continue de courir. Je dois terminer la course. J'entends des pas se rapprocher. Plus que dix mètres… cinq… quatre… trois… deux…

Je lève les bras et savoure la victoire. Maxim arrive une fraction de seconde plus tard, essoufflée. Nous respirons les deux la bouche grande ouverte. La mienne est si pâteuse que j'ai l'impression d'avoir ingurgité un paquet de biscuits soda sans boire une seule goutte d'eau. Ma salive a disparu je ne sais trop où. Mon estomac pète une crise cardiaque. J'en tombe sur les genoux. Je pense que j'ai trop mangé de bonbons.

– Je pense que j'ai trop mangé de bonbons.

Ce n'est pas moi qui viens de dire ça !

Maxim est penchée vers l'avant, le bras droit contre son ventre et le gauche appuyé sur sa cuisse. Je me relève et m'avance près d'elle. Elle panique comme un coq qui entre dans un restaurant St-Hubert.

– Je vais vomir ! se plaint-elle en pleurant.

J'essaie de la rassurer.

– Prends des grandes respirations et puis…

Un énorme jet multicolore sort de sa bouche et m'interrompt, colorant la neige avec violence. Je cesse de regarder le show réalité parce que mes jelly beans ont bien envie eux aussi d'aller compléter son arc-en-ciel grisâtre.

Je caresse son dos en regardant le ciel. Beaucoup plus agréable que de flatter Anorexie.

Je me concentre sur les nuages pour ne pas être malade à mon tour. Chacun me fait penser à un motton de vomi. Je ferme les yeux pour chasser les mauvaises idées.

Maxim termine de régurgiter dix dollars de jelly beans. Une fois que mon estomac jure sur la Bible qu'il ne déclenchera pas de grève générale, je lance une petite blague.

– Vu que je suis gentil et aimable, je vais te laisser te rincer la bouche avant de manger tes sardines !

Maxim, toujours pliée en deux, pousse un rire nerveux, mélange de douleur et de sincérité. Un filet de bave lui pend aux lèvres. Du jus d'estomac lui colore quelques mèches de cheveux. Son teint est plus pâle que ce triste paysage hivernal.

Je ne sais pas pourquoi, je la trouve belle quand même.

## Chapitre 12

# Je donne ma langue au chat

Les larmes de Maxim se sont transformées en glaçons sur ses joues.

– Es-tu correcte?

*Elle vient de vomir, tata! C'est sûr qu'elle est pas correcte.*

Qu'une personne tombe en bas d'un troisième étage ou reçoive un coup de pelle sur le nez, on pose toujours cette question insignifiante.

– Bof.

Ses lèvres devenues aussi blanches que le reste de son visage lui donnent un teint de bonhomme de neige. Ne me manque que mille dollars et je lui paie un voyage dans le Sud afin qu'elle reprenne un peu de couleur. Elle trouve un brin d'énergie quelque part en elle pour me barber.

– En tout cas, si ç'avait pas été de mon mal de ventre, je serais arrivée bien avant toi. Tu courais comme ma grand-mère!

– Je voulais te donner une chance, sinon t'aurais pleuré jusqu'au jour de l'An.

Maxim examine de près son gâchis.

– Ouach! Ça pue, mon vomi!

– Arrête de te mettre le nez dedans pis arrête d'en parler! J'ai le cœur qui flotte moi aussi.

Elle empoigne une motte de neige propre tout près, puis se rince la bouche comme elle peut. Elle recrache la neige à moitié fondue.

Je marche avec ma grande malade lentement vers la ligne de départ. Anorexie se débat et lâche des cris de panique comme si elle aussi avait ingurgité trop de bonbons.

– Qu'est-ce qu'il a ton chat? demande Maxim.

– Aucune idée. Elle doit essayer d'attraper sa queue.

Je me penche. Anorexie est en transe et imite avec beaucoup de succès ma danse du bacon. Ses cris ressemblent à des pneus qui crissent au coin d'une rue.

Maxim lance un long cri d'horreur lorsqu'elle comprend la scène qui se déroule sous ses yeux.

La petite langue râpeuse d'Anorexie est collée sur le but de soccer gelé. Je croyais que seuls les enfants de maternelle goûtaient aux poteaux de métal.

*Idiote!*

– Faut faire de quoi, Bine! À force de se débattre, elle va s'arracher la langue!

Anorexie est prisonnière du but. Sa langue est soudée au poteau.

Je panique à mon tour. J'ai beau ne pas trop aimer la bête, voir un animal essayer de se mutiler pour se libérer est un spectacle assez troublant. Anorexie n'est pas assez intelligente pour se calmer et attendre qu'un plan de génie surgisse dans ma tête.

*Qu'est-ce qu'on fait?*

Je ne suis quand même pas pour tirer de toutes mes forces. Elle va souffrir, la pauvre. Tout d'un coup qu'il n'y a pas que sa langue qui arrache!

C'est peut-être de cette façon qu'on procède pour commercialiser les langues de porc dans le vinaigre. J'ignore qui en achète à l'épicerie, mais manger la langue d'un cochon qui se roule dans la boue à longueur de journée est une drôle d'idée.

– Souffle de l'air chaud dessus, propose Maxim. Ça va réchauffer le poteau.

Je me colle le plus près possible de la tête d'Anorexie et lui balance ma mauvaise haleine. Avec l'haleine de Maxim, elle se serait probablement évanouie, ce qui nous aurait facilité la tâche.

Acrobate née, la chatte bondit en effectuant des trois cent soixante degrés et s'entortille encore plus dans la corde.

– Tiens Anorexie, toi, pour qu'elle arrête de sauter partout. Je vais lui enlever la corde avant qu'elle s'étouffe.

Maxim s'exécute et la tient à deux mains. Anorexie a beau n'avoir que de la peau, du poil et des os, elle se débat comme un gros saumon au bout d'une ligne à pêche. Si jamais les Olympiques pour les félins voient le jour, je l'inscris à coup sûr en judo.

– Calme-toi, mon beau. Tout va bien aller ! Maxim et Bine sont là pour t'aider.

Pas le bon moment pour lui repréciser qu'il s'agit d'une femelle…

Je délivre Anorexie de son étreinte, puis continue d'expirer de l'air chaud pendant une minute. Le vent glacial souffle si fort qu'on croirait que j'essaie de faire avancer un voilier avec les battements d'ailes d'un papillon. Une solution de rechange me vient.

– Je vais aller chercher un verre d'eau bouillante.

– Ben non, niaiseux, tu vas l'ébouillanter !

*Méchant génie !*

– C'est mieux d'y brûler la langue que de la laisser se l'arracher elle-même, non?

Maxim regarde Anorexie, ne sachant pas trop quoi faire pour la rassurer.

– De l'eau tiède! Apporte de l'eau tiède! C'est suffisant. Allez, Anorexie, ça sera pas long, Bine va aller te chercher de la bonne eau tiède, miam, miam!

Je cours vers la maison encore plus vite que durant la course. En rentrant, je n'enlève même pas mes bottes et répands de la neige partout sur le plancher.

*Ça va sécher!*

Je prends un gros pichet dans une des armoires et le remplis dans le lavabo. Je sors en flèche.

En sautant en bas des quatre marches de l'entrée, le pot de plastique se vide de moitié sur mon manteau.

*Merde! Est-ce que je retourne le remplir?*

Chaque seconde compte. J'empoigne le pichet à moitié vide, puis tente de dépasser la vitesse du son. Avec tout le sucre que j'ai absorbé, ce n'est pas l'énergie qui me manque. De retour à la scène du drame, je verse rapidement l'eau.

– Tire lentement, Maxim.

Comme à tous les chats, l'eau lui fait peur et l'agite encore plus. Rien à faire, le poteau reste glacé.

— Il faudrait plus d'eau! me crie Maxim, qui a totalement oublié son mal de cœur et le fait que mes oreilles ne se trouvent qu'à quelques centimètres de ses cordes vocales.

— Vas-y, moi, je vais aller chercher un séchoir à cheveux.

— Tu vas le brancher où, ton séchoir? Dans ton oreille? ironise-t-elle.

— J'y avais pas pensé… À moins que je trouve plusieurs extensions électriques. Je pourrais peut-être me rendre. Mon père en a cinquante millions dans le garage.

— Mais là, on peut pas le laisser tout seul ici! On a détaché sa corde du poteau.

— Elle peut quand même pas aller bien, bien loin la langue collée.

Sans discussion ni signal, nous courons vers la maison, abandonnant la victime derrière. Dans le garage, il y a des traîneries partout. En moins d'une minute, je trouve cinq rallonges électriques. À la cuisine, j'entends Maxim faire le plein d'eau. Elle hurle au loin.

— J'y retourne, grouille-toi!

Je monte à la salle de bains en lançant au passage les extensions dans le vestibule. Le séchoir dort sur le comptoir. Je le saisis et cours à nouveau vers l'entrée, ramasse les mille mètres de fils. Je branche le premier fil dans la prise extérieure de la maison, cours au bout du fil, branche le deuxième et ainsi de suite. J'arrive au bout de mon cinquième fil. Il me manque encore cinquante mètres. Minimum.

*Maudit!*

Au loin, Maxim s'affaire à vider lentement de l'eau sur la langue collée. Je crie de toutes mes forces.

– MAAAAAAXIIIIIM!

– QUUUUOOOOIIIIII?

– J'AAAAIIIII PAAAAS AAASSEEEEZ DEEEEE FIIIIIIL POOOUUUR MEEE REEEEEENDRE!

Elle semble réfléchir un instant en tenant fort Anorexie à deux mains.

– BRAAAAANCHE-TOOOOIIIIIII DAAAANS LAAA PRIIIISEEE DEEE LAAA MAAAIIISOOON JUUUUUSTEEEE LÀÀÀÀ!

Elle pointe en direction de la maison au bord du parc, celle des Boivin. Pas de voiture dans l'entrée. Je cours vers le côté de la maison et aperçois une prise de courant.

Je file à toute vitesse vers ma maison, débranche le premier fil, puis repars vers l'autre maison. Excellent entraînement pour les olympiades de juin prochain. On peut déjà me réserver les médailles d'or, d'argent et de bronze. Une fois mon fil branché dans la prise des Boivin, Maxim crie à nouveau.

— BIIIIIIIIIIIIIINEEEEEEE !

Je tourne la tête et aperçois une chatte filer à toute vitesse sur notre piste d'athlétisme, suivie d'une hystérique qui lui ordonne de s'arrêter. Je lâche mon arsenal électrique et me mets à courir en direction d'Anorexie qui zigzague dans tous les sens. Je rattrape facilement Maxim, mais Anorexie est si rapide, qu'en moins de temps qu'il n'en faut pour se coller la langue sur un poteau, elle nous sème. Elle disparaît dans la cour d'une maison de l'autre côté du parc.

Nous avortons la poursuite, épuisés, muets. Partout autour, la vie s'arrête. Aucun son ne sort de nulle part à l'exception du ronronnement de quelques voitures au loin.

Silence.

Sans avertissement, Maxim se met à pleurer.

— Je m'excuse, j'ai pas été capable de le retenir ! Il reviendra jamais…

Elle se colle contre moi. Je la serre.

*Je devrais perdre ma chatte plus souvent!*

– T'avais raison, Maxim, ça court vite un chat.

– Qu'est-ce qu'on fait? me demande-t-elle en se mouchant sur ma manche de manteau.

*Bonne question!*

Nous n'avons pas des heures. Avec la température froide, Anorexie ne pourra sûrement pas survivre des jours. Surtout avec un taux de gras comparable à celui d'un Éthiopien de quatre-vingt-sept ans.

– C'était quoi aussi l'idée de l'emmener jouer dehors?! crie Maxim, furieuse.

Petite escale dans la maison pour bien cibler notre plan d'action. Je range les extensions et le séchoir. Maxim en profite pour caler trois verres d'eau. Moi, le pichet.

Nous partons à la recherche d'Anorexie, armés d'une boîte de conserve de sardines chacun, en prenant soin d'en laisser une sur le perron, histoire d'attirer l'attention de son pif, si jamais elle passe dans le voisinage. Sorte d'Halloween pour les chats.

– Si ç'a marché une fois, ça peut marcher deux fois, dit Maxim qui essaie de se motiver.

Nous scrutons chaque entrée de maison autour du bloc. Difficile de trouver une chatte capable de se cacher dans le plafond d'un sous-sol. Nous cherchons une aiguille vivante dans une grange de bottes de foin.

Le pressentiment que nous gaspillons notre temps me hante. Le pire qu'il puisse arriver, c'est que je la retrouve morte au printemps après la fonte de la neige. Moi, un enfant ou cette vieille mémé folle qui la fera dégeler au micro-ondes. Cette pensée me noue l'estomac, déjà qu'il n'est plus trop fort depuis le festin de sucre.

Anorexie morte parce que j'ai eu la brillante idée de l'emmener jouer au parc. Une chatte que je connais depuis une heure seulement. Elle va souffrir. À cause de moi. Encouragée par les pleurs de Maxim, une larme apparaît sur le coin de mon œil. Je l'essuie rapidement pour ne pas qu'elle la voie.

Nos recherches se terminent à quelques maisons de chez moi lorsque des klaxons nous ramènent à la réalité. Les parents de Maxim.

– Ça veut dire qu'il est déjà quatre heures et demie.

– Mes parents vont sûrement arriver bientôt aussi.

– Vas-tu leur dire la vérité ?

– Es-tu malade?! Ils vont me tuer! J'ai perdu un tournevis étoile il y a trois ans et j'en entends encore parler…

– Donc, il faut qu'on continue les recherches ce soir.

– Dis à tes parents qu'on t'a invitée à souper. Dis-leur de revenir te chercher à huit heures.

Maxim court en direction de la camionnette puis revient quelques instants plus tard.

– Tout est beau! Je peux rester.

– Cool! J'ai eu une idée pendant que t'étais partie. À deux, on a moins de chances de retrouver Anorexie.

– C'est quoi ton idée?

– Viens-t'en, on s'en va chez Tristan!

# Chapitre 13

# Coincés comme des sardines

J'explique mon plan à Maxim en marchant jusqu'au domicile des Biancardini. C'est Tristan qui ouvre la porte.

– On dirait que t'as encore tes deux yeux ! que je lui lance en guise de bonjour.

Tristan se touche l'œil, comme pour confirmer.

– Oui, oui, tout va bien. Tu venais pour t'excuser ?

– N...

Maxim me donne un coup de coude discret.

– Oui, c'est ça ! Je m'excuse, j'ai vraiment pas fait exprès.

– Tu es pardonné ! répond Tristan, tout heureux.

– On aurait besoin de ton aide, poursuit Maxim.

Tristan est quasiment à ses pieds. Ses pommettes deviennent rouges.

*Inquiète-toi pas, elle te demandera pas en mariage !*

– Est-ce que ta mère est là ? que je lui demande en furetant du regard.

– Elle est au sous-sol. Elle fait la lessive.

– OK, on a un plan pour toi, dit Maxim. Bine a perdu son chat.

– Tu as un chat, Bine ? coupe-t-il.

– Oui, mais c'est une longue histoire.

– C'est quoi son nom au minet ?

– C'est pas important.

– Anorexie, répond Maxim pour lui couper le sifflet.

– Mais c'est un nom de femelle, ça !

– C'est une femelle aussi.

– Mais Maxim a dit « un » chat.

– OK, peu importe, Tristan, fais juste écouter.

– D'accord, d'accord. Vous avez perdu Anor…

– Tais-toi !

– Oui, je zippe ma bouche, dit-il en faisant le geste de ses doigts. Scellée. Voilà. Je ne parle pl…

– Veux-tu ben te la ferm…

Maxim m'interrompt.

– On va vraiment avoir besoin de toi pour le retrouver. À trois, ça va aller plus vite. Avez-vous soupé ?

– Non, on ne dîne jamais avant 19 heures.

– Mon Dieu, vous mangez donc ben tard, les Français ! que je dis.

Maxim consulte sa montre.

– Tristan, il est exactement 16 h 42. À 17 heures, viens sonner chez Bine et invites-nous à souper.

– Ah super! Nous mangeons du poulet!

– Ben non, nono! On vient pas souper. Ça fait partie du plan. On doit partir à sa recherche le plus tôt possible.

– Donc, poursuit Maxim, on va tout de suite partir à la recherche d'Anorexie. As-tu bien compris?

– Oui, c'est pas compliqué. Nous allons à la recherche de ta chatte et ensuite, nous venons manger du poulet.

– Non, y'a pas d'histoire de souper. On recherche Anorexie et c'est tout.

– D'accord, mais il y a juste un truc que je ne pige pas. Quand est-ce qu'on dîne dans tout ça?

– Dès qu'on retrouve Anorexie, tu reviens à la maison.

– Mais s'il est plus de 19 heures, ma mère va me gronder!

– On va le retrouver avant, c'est promis, dit Maxim, qui est prête à lui dire n'importe quoi pour le convaincre.

Avant que Tristan ait le temps de rajouter quoi que ce soit, nous le saluons et repartons vers ma maison. Nous apercevons aussitôt la vieille voiture de ma mère se stationner à côté de celle de mon père.

En sortant, Jocelyne nous salue.

– Rebonjour, vous deux!

– Allô! dit Maxim.

– Salut, m'man.

– Tu restes souper avec nous, Maxim?

– Oui... euh... non. Oui, non. C'est que...

*Relaxe Maxim, respire par le nez!*

– Allez, j'insiste. Il se fait tard. Appelle tes parents avant qu'ils arrivent.

Maxim me regarde, ne sachant trop quoi faire. Je lève les épaules.

– Et puis, qu'est-ce que vous avez fait de bon cet après-midi?

*On a ingurgité cinq millions de calories de bonbons pis Maxim les a dégueulés partout. Ah oui! On a aussi perdu Anorexie!*

– Pas grand-chose, on a joué au hockey pis on est allés au parc.

– Et comment va... C'est quoi son nom déjà?

– Anorexie.

– Ah oui, hi hi, c'est vrai! Comment va Anorexie?

– Sûrement bien, on a passé l'après-midi dehors, dis-je, de mon air le plus naturel possible. Elle doit être couchée sur mon lit, je sais pas.

À l'intérieur, mon père nous accueille sans bonjour ni trompette.

– Est-ce que je peux savoir pourquoi il y a des cannes de sardines partout? demande-t-il en beau fusil en remontant les escaliers du sous-sol, les mains pleines.

– Ah ben, c'est que… euh … Maxim a pensé que ce serait un bon moyen d'attirer la chatte pour venir manger.

En rejetant la faute sur Maxim, la pilule risque de mieux passer.

– Pourquoi vous les avez toutes mises au sous-sol? insiste-t-il.

– Elle était coincée dans le plafond.

– Voyons, comment veux-tu qu'un chat aille dans le plafond?

– L'important, Robert, c'est que ça ait marché, dit ma mère pour venir à notre rescousse.

– Pis la canne qui traînait sur le perron, c'était pour l'attirer dehors, j'gage?

*Es-tu rendu inspecteur, coudonc?!*

– On se disait qu'elle s'était peut-être sauvée quand tu avais ouvert la porte pour aller fumer.

— Ben voyons, je l'aurais vu passer.

— Ça court vite un chat. Des fois, quand on est endormi le matin...

— Es-tu sûr que c'est pas parce que tu l'as perdue dehors, mais que t'es trop gêné pour l'avouer ?

— Voyons, Robert ! intervient Jocelyne. Premièrement, elle est pas perdue, je l'ai vue ce midi. Pis deuxièmement, Benoit-Olivier aurait pas été assez niaiseux pour emmener une chatte dégriffée dehors !

*Eh oui, j'ai été assez niaiseux, m'man. Merci de le souligner !*

— Mais c'est bizarre, réalise-t-elle, il n'y avait rien dans l'entrée quand je suis venue ce midi. Il n'y avait pas de conserve de sardines, je mettrais ma main au feu.

*Je suis fichu, cuit bien dur. Pour me jouer un tour, le temps a avancé plus rapidement qu'à l'habitude. Mes parents sont arrivés avant que je fasse disparaître toutes les pièces à conviction. Je ne sais plus trop comment me sortir de mes mensonges.*

— Tu l'as sûrement pas vue, m'man. C'est Maxim qui l'a mise là ce matin. Pas vrai, Maxim ?

— Oui, madame Lord. Vous avez dû mettre le pied juste à côté sans la voir. Vous aviez l'air pressée.

– Peu importe, Benoit-Olivier, tu aurais pu au moins ramasser tes cochonneries après, dit mon père. Ça sent le il-est-né-le-divin-enfant-jouez-hautbois-résonnez-musettes dans la maison !

– Robert ! Surveille ton langage ! On a une invitée !

– Je m'excuse, p'pa. On a complètement oublié. On était trop contents de l'avoir retrouvée.

– Bon, comme on dit, tout est bien qui finit bien, conclut ma mère. Bon, elle est où cette belle Anorexie-là ?

– Pardon ? demande mon père.

– Je parlais à Benoit-Olivier.

– Oui je sais, mais comment t'as appelé la chatte ?

– Anorexie.

Il se tourne vers moi avec sa face mélange-de-mépris-et-d'incrédulité.

– Franchement, Benoit-Olivier. C'est un nom de maladie. T'aurais pu l'appeler Otite tant qu'à y être !

*Je garde l'idée si jamais elle a des bébés !*

– C'était mon idée, intervient Maxim avec son petit sourire qui pourrait faire pardonner le pire des mauvais coups.

– Ah oui ! dit mon père tout surpris. Ah ben, coudonc…

Sur ce, il descend au sous-sol et se lance dans le fauteuil pour regarder la télé en attendant que le souper soit prêt. Pour lui, le dossier est classé. L'espace d'un instant, il est passé de l'enquêteur féroce à Monsieur Je-m'en-fous.

– Mon Dieu, s'exclame ma mère en ouvrant l'armoire de conserves. Combien vous en avez pris ? Une dizaine certain !

Comme ma mère nous fait dos, Maxim me tape sur l'épaule et me fait signe qu'elle prend la relève.

– En fait, c'est que nous avons mangé des sardines tantôt. On a déjà soupé, on avait super faim.

*Oups, changement de plan !*

Ma mère referme calmement l'armoire, s'appuie sur le comptoir et prend une profonde inspiration.

– Es-tu en train de me dire que tu as réussi à faire manger du poisson à Benoit-Olivier ? demande-t-elle avec un sourire de maman dépassée.

– Oui, oui, il a mangé deux cannes. Il a adoré ça en plus. Hein, Bine ?

*«Adoré» ! Exagère donc plus !*

– Ah oui, c'est pas pire ! que je dis sans trop de conviction.

– J'ai mon voyage! Maxim, il va falloir que tu me partages tes secrets. Ça fait des années que je veux lui faire manger des sardines, pis y veut jamais rien savoir. Tu devrais le convaincre de faire son lit le matin.

On sonne à la porte.

– Attendez-vous un ami? demande ma mère.

– Non.

Ma mère ouvre la porte.

– Ah, bonjour, toi! C'est quoi ton p'tit nom déjà?

– Tristan.

– Ah oui, c'est vrai! C'est ma soirée des surprises. Je ne savais pas que Benoit-Olivier et toi étiez amis.

– Si, si, c'est mon meilleur pote!

*Es-tu malade?!*

– Quel bon vent t'amène?

Tristan se racle la gorge et se prépare à réciter un dialogue appris par cœur.

– Maxim et Bine, la raison de ma présence... hmm hmm... était pour vous inviter à dîner ce soir... chez moi...

– Tu tombes mal, Tristan, interrompt ma mère. Ils ont déjà soupé.

C'est comme si elle lui avait annoncé la fin du monde. Le petit scénario qu'il s'était créé ne fonctionne plus. Il panique, tente d'établir un contact visuel avec moi. Il ne comprend plus rien.

– Imagine-toi qu'ils ont mangé des sardines !

– Mais c'est impossible, dit-il, le visage toujours semblable à une personne ayant vu un fantôme.

– C'est ce que je me disais aussi !

– Non, c'est impossible parce que…

Avant qu'il bousille toute l'affaire, je me hâte de changer de sujet.

– À la place, viens-tu jouer au parc ?

– Benoit-Olivier, laisse Tristan aller souper et il vous rejoindra après. Bon, allez, les jeunes, j'ai un pâté chinois à préparer.

Elle part à la cuisine puis revient.

– Tu m'as pas répondu tantôt, Benoit-Olivier. Elle est où Anorexie ?

Je n'ai même pas le temps d'inventer la cinq centième menterie de la journée que Tristan lui répond :

– Il l'a perdue, madame. Il ne vous l'a pas dit ?

## Chapitre 14

# L'escouade des toutous perdus

«*Il l'a perdue, madame. Il ne vous l'a pas dit?*»

Maxim fige telle une statue de cire. Mon cœur fait trois-quatre tours comme une serviette dans une sécheuse à super spin.

*ÉPAIS!*

*NIAISEUX!*

*TATA!*

*SANS DESSEIN!*

*CRÉTIN!*

*IDIOT!*

*STUPIDE!*

*IMBÉCILE!*

Dans l'art de se mettre le pied dans la bouche, Tristan est le plus incroyable des acrobates.

Je me dépêche d'intervenir avant que l'enquête de l'inspectrice Jojo reprenne de plus belle.

– Ben non, ben non! Ça, c'était ce matin! Ça fait longtemps qu'on l'a retrouvée!

– Donc, on n'a plus besoin d'aller à sa recherche?

– Hi hi hi, encore une fois, tu arrives un peu en retard, mon cher Tristan, dit ma mère. À midi, ils l'avaient déjà retrouvée.

– C'est pas poss...

Maxim le saisit par le bras.

– Es-tu prêt à aller jouer ?

– Ben, euh...

– OK, *let's go !*

Maxim enfile son habit de neige en tenant Tristan d'une main ferme. Le contact physique empêche l'idiot professionnel de dire d'autres niaiseries. En fait, elle le serre si fort qu'il est incapable d'ouvrir la bouche. Lorsqu'ils sont sortis, ma mère dit :

– Il est un peu bizarre ton ami.

– C'est pas mon ami.

– Si tu veux mon avis, je pense que la belle Maxim l'hypnotise un peu beaucoup !

*Pour vrai ?! Quelle révélation !*

– Toi aussi, elle ne te laisse pas indifférent, hein ? demande-t-elle en me frottant les cheveux.

Je déteste lorsqu'elle fait ça.

Une fois habillé, j'ouvre la porte sans rien dire.

– Ne rentre pas plus tard que huit heures, là !

Je referme la porte, puis pars à la poursuite de Tristan qui attend en bordure de la rue avec Maxim.

– Maudit tata, t'as failli tout faire fouerrer !

Maxim s'insère entre nous deux pour m'empêcher de le décapiter.

– Pas du tout, pas du tout, se défend-il. Vous m'avez demandé de vous inviter à dîner. Je sonne dix minutes après et ta mère m'annonce que vous avez déjà mangé. C'est à n'y rien comprendre!

– Ben non, niaiseux! C'était une menterie. Penses-tu vraiment qu'on mangerait des sardines pour souper?

– Ben… ouais, pourquoi pas?

Maxim me pousse sur le côté.

– OK, Bine. Reviens-en!

Elle regarde sa montre.

– Il est exactement 17 h 11. Anorexie est perdue depuis à peu près trois heures. Si on veut la retrouver vivante, on peut pas s'obstiner jusqu'à demain sur qui a dit quoi!

Une fois l'intervention de notre arbitre terminée, elle nous invite à nous rendre au parc, là où Anorexie s'est faufilée sous la clôture.

À cette heure, il fait déjà très noir. Seuls les quelques lampadaires et des lumières de maison extérieures nous éclairent.

– C'est ici qu'elle est disparue? demande Tristan.

– Oui, dit Maxim, mais j'ai pas pu voir où elle est allée après. On a cherché une bonne partie de l'après-midi.

– Si elle peut se faufiler sous les clôtures, elle peut être pas mal n'importe où dans le quartier, ajoute-t-il. D'après moi, on ne la retrouvera jamais.

– C'est pas très encourageant, ça, dit Maxim.

– Tristan a raison. Elle peut être n'importe où. Elle peut être autant sous le perron de cette maison-là qu'à trois rues d'ici.

Maxim regarde autour d'elle, désespérée. À chacune de ses expirations, un nuage de buée lui sort de la bouche. Elle garde le silence quelques instants. Le chat lui a mangé la langue. Elle se remet à pleurer.

– Y'est pas question que je reste ici à rien faire ! Si vous voulez pas la chercher, tant pis, j'y vais toute seule, maugrée-t-elle en commençant à marcher.

Tristan court à sa poursuite.

– Hé, attends-moi !

Je ferme le peloton.

– Et si on se séparait ? propose Tristan quelques instants après.

*Mauvaise idée !*

– Bonne idée, murmure Maxim entre deux sanglots. Qu'est-ce que t'en penses, Bine ?

– Oui, bonne idée. J'allais le proposer.

– Si jamais un de nous trois aperçoit la chatte, dit Tristan, il n'a qu'à crier comme un hibou pour alerter les autres. Hou! Hou! Hou! crie-t-il en imitant un hibou mongol.

– Pff! Un hibou! Je serais à cinq mètres que j'entendrais rien.

– Un coq, alors? Cocorico!

– Ben non, c'est trop niaiseux. Les gens vont t'enfermer tellement ils vont trouver que tu as l'air débile. Es-tu capable de siffler fort?

– Bien sûr, répond-il.

Il glisse deux doigts sur chaque côté de sa langue pour m'en faire la démonstration. Il souffle de toutes ses forces. Aucun son de sifflet. Juste un long son de pet soufflé et deux tasses de salive visqueuse sur ses mains.

– Les gars, pourquoi on fait pas juste crier nos noms au lieu de se compliquer la vie?

– Ah oui, bonne idée, dit Tristan en s'essuyant les mains sur son manteau. C'était ma prochaine proposition.

Nous arrivons au coin de la rue.

– J'ai un plan, dit Maxim sans enthousiasme. Tristan, toi, tu continues la rue jusqu'au Pharmaprix, tu tournes à droite pis tu reviens par Delorme. Nous autres, on prend ici à droite et on tourne à droite sur Delorme. Moi, je prends le bord gauche, toi Bine, le droit. Pis au stop suivant, on vire de bord et on te rejoint. C'est bon ?

– Parfait, dit Tristan qui n'a sûrement rien compris au plan. Alors en avant, marche !

Il nous tourne le dos et traverse la rue. Une fois de l'autre côté, il se met à crier comme un perdu.

– Minou, minou, minou, minou, minou !

Maxim et moi l'observons. Je sais qu'elle le trouve totalement ridicule, mais la peine lui serre tellement la gorge qu'elle s'abstient de tout commentaire.

– Bonne chance, murmure-t-elle lorsque nous prenons chacun notre côté de la rue.

Je m'arrête devant la première maison du coin. Impossible de voir dans la cour à l'arrière. Deux voitures et une clôture me bloquent la vue.

*Perte de temps !*

J'entends Maxim renifler de l'autre côté de la rue. Ses larmes lui ont déclenché un semblant de rhume. Son nez coule à flots. Sa mitaine droite se transforme en mouchoir.

Elle se penche, regarde sous une voiture et fait de petits bruits de becs avec sa bouche. Je l'entends murmurer au loin : «Anorexie, viens voir Maxim ! Anorexie !»

Quinze minutes passent. On dirait que tous les habitants de la ville se sont encabanés. Personne dans les rues à part un Français qui crie des «minou, minou, minou !» à tue-tête, une fille qui pleure à chaudes larmes en murmurant désespérément le nom de la chatte perdue et moi, celui qui a perdu espoir.

Je ne la retrouverai jamais. Mon chien est mort.

J'arrive devant la maison où Anorexie est disparue.

*Tout d'un coup qu'elle est encore là ?*

Une voiture dans l'entrée. Aucune clôture ne bloque l'accès à la cour arrière. À l'intérieur de la maison, beaucoup de lumière, mais les rideaux de la grande fenêtre avant sont fermés. Je regarde à gauche, puis à droite. Personne. Je me penche, puis rampe en direction de la cour arrière.

Sans mes pantalons de neige, l'eau passe vite à travers mes jeans. Je rampe rapidement tel un soldat dans un champ de barbelés. Une fois à l'arrière, je me colle sur le béton au coin de la maison et observe la cour, le temps que mes pupilles s'acclimatent à cette noirceur. Un cabanon, deux arbres et un perron. Pas d'autres cachettes possibles.

J'avance encore deux mètres et me faufile la tête dans une ouverture sous le balcon arrière. Je retiens mon souffle pour me concentrer sur le son ambiant. Je fixe des yeux un point imaginaire pour détecter le moindre mouvement. Je distingue quelques planches de bois, de grosses roches et un traîneau en plastique rigide.

– Psst ! Psst ! Anorexie.

Aucune réponse.

– Allez, Anorexie. Arrête de niaiser.

Si elle est venue ici auparavant, elle a clairement changé de cachette.

Je lève la tête. Les stores verticaux de la porte-patio sont fermés. Impossible de voir si des gens sont proches des rideaux, mais, sans les écarter, il leur est aussi impossible de me voir. Je rampe vers le cabanon.

Dès que j'arrive en plein milieu de la cour, une grosse lumière au-dessus de la porte du cabanon s'allume. Deux cents watts de lumière blanche en plein dans les yeux. Si j'avais bu trois verres d'eau avant mon expédition, je serais sans aucun doute en train de pisser dans mes culottes tellement j'ai fait le saut.

Des détecteurs de mouvement !

Exactement les mêmes que chez Maxim. Je me lève et cours vite me cacher derrière le cabanon. Entre la clôture adjacente au parc et le cabanon, je dispose d'environ trente centimètres de large. Je me contorsionne pour cacher l'entièreté de mon corps.

De l'œil gauche, j'épie en direction de la porte-patio. Un homme a écarté les stores et semble me regarder droit dans les yeux.

*Merde!*

Je me retire rapidement. Une décharge d'adrénaline double la vitesse des battements de mon cœur.

*Est-ce qu'il m'a vu?*

Impossible. Il lui faudrait des yeux bioniques. Pourtant, j'aurais juré qu'il me fixait.

À moins qu'il m'ait aperçu avant que j'aie eu le temps de me réfugier ici. J'écoute. La fanfare de mes battements cardiaques enterre tout le reste.

Quelques instants plus tard, la grosse lumière du cabanon s'éteint.

J'attends encore deux longues minutes. La prudence est de mise.

Je regarde à nouveau d'un œil discret en direction de la porte-patio. L'homme a disparu. Les stores sont à nouveau fermés.

*Fiou!*

Comment retourner vers la rue sans que cette lumière s'allume à nouveau? Au deuxième avertissement, l'homme risque de sortir de sa maison avec sa carabine. J'aurais l'air d'un beau crapaud s'il me surprenait en train de ramper.

*Désolé, monsieur. Je faisais une étude sur les flocons de neige dans les cours et parmi toutes les maisons du quartier, c'est la vôtre que j'ai sélectionnée. Félicitations!*

Si je rampe en prenant un nouvel itinéraire, rien ne me garantit que je ne déclencherai pas à nouveau le détecteur de mouvement. Si je pars à la course, j'aboutirai sur le trottoir avant même que l'homme se soit montré le bout du nez.

J'opte pour la deuxième solution. Au lieu de repartir du côté où je suis arrivé, je me faufile à l'opposé, tout près de la clôture latérale. Si je la longe, peut-être que je passerai sous le radar.

Je visualise mon parcours, puis m'élance.

Je cours à grandes enjambées, mais les quelque dix centimètres de neige un peu croûtée ralentissent ma course. J'arrive à la cour asphaltée. Toujours pas de lumière allumée derrière.

C'est réussi!

J'entends une porte s'ouvrir, puis un homme dire : «À tantôt!» J'arrête aussitôt ma course. Je ne le vois pas, mais je devine qu'il est sorti à l'avant et que nous arriverons face à face dans une fraction de seconde. Trop tard pour rebrousser chemin. Impossible non plus de courir jusqu'à la rue sans être aperçu.

Je me lance de tout mon long derrière la Toyota stationnée de reculons tel un joueur de baseball glissant au marbre. Comme j'ai de longues jambes, je me colle le plus possible du côté droit, la tête tout près du silencieux.

D'en dessous de la voiture, je vois les pas de l'homme se rapprocher. Heureusement, son char est déneigé ; pas besoin de faire une tournée avec un balai et d'apercevoir le beau Bine qui poursuit son étude des flocons.

*Vos flocons sont de toute beauté, monsieur !*

Il ouvre la portière. Ses pieds disparaissent. Au moment où le moteur se met à tourner, je constate qu'un silencieux porte très mal son nom. Je sais que l'auto avancera dans quelques instants. S'il regarde dans son rétroviseur, il va voir une grosse crêpe de treize ans au beau milieu de son stationnement. Sinon, je suis sauvé.

*Tout d'un coup qu'il recule ?!*

J'essaie de fondre dans le sol. Je pousse contre l'asphalte comme si je voulais m'y creuser un terrier. Ça pue l'essence, j'en deviens étourdi.

*Allez, va-t'en !*

Une voix à la radio se met à hurler, des phares s'allument, puis la voiture avance. Je l'entends accélérer puis tourner vers la gauche. Je n'ose pas lever la tête. J'attends encore un petit instant.

– Qu'est-ce que tu fais là ? demande une voix que je reconnais trop bien.

Plantée sur le trottoir tout près de moi, Maxim me dévisage. Avec ma face de gars un peu honteux, elle devine que je ne tenterai pas de me justifier. Je me relève, puis marche vers elle.

– J'ai terminé jusqu'au coin de la rue. C'est là que j'ai réalisé que t'avais disparu. Quand j'ai entendu Tristan crier, je me suis mise à te chercher partout. Tu l'as pas entendu ?

– Pas pantoute. Quand est-ce qu'il a crié ?

– Il y a vingt secondes à peu près ! Dépêche-toi, il a peut-être trouvé Anorexie.

Nous courons sur la rue Delorme, dépassons notre point de départ et continuons en direction des cris qui proviennent de quelque part tout près du Pharmaprix.

– BIIIIIINNNNE! MAAAAAAAAAXIIIIIIIIIM!
COOOCOOOORIIIIIIIICOOOOOOOO!
HOOOOOOUUUUUU! HOOOOOOUUUUUU!
HOOOOOOUUUUUU!

Notre vitesse est supérieure à celle de la course en après-midi. Décidément, ça fait beaucoup de jogging en une journée!

Tristan sort de nulle part et nous fout la frousse.

– Ah! Vous êtes là! Ça fait une demi-heure que je vous appelle!

– Exagère pas, ça fait trente minutes qu'on est partis de la maison.

– Dépêchez-vous, je l'ai vue!

– Où ça? demande Maxim.

– En arrière de la pharmacie, tout près du conteneur à déchets.

– Comment tu fais pour être certain que c'est elle si tu ne l'as jamais vue? que je demande, sceptique.

Si je lui avais demandé la capitale du Zimbabwe, il me regarderait de la même façon. Une grosse tête embêtée.

– Eh bien… euh, je sais pas. J'ai supposé que…

– Allez, venez, au cas où ce serait elle, interrompt Maxim.

Nous approchons du conteneur en question.

– Elle est où ? que je demande.

– Eh bien, je marchais ici et je l'ai vue courir et aller se cacher en dessous du conteneur.

– Elle était de quelle couleur ?

– Je sais pas, il fait très noir et ça s'est passé vite. Noire, je crois. Elle était pleine de neige.

– J'ai une idée, dit Maxim. Moi et Bine, on surveille chaque côté du *container*. Toi, tu te penches en avant et tu lui fais peur. Comme ça, elle va se sauver. En sortant de son trou, on va pouvoir l'attraper.

– Si tu veux lui faire peur, c'est le temps de crier en hibou pis en coq !

– Et frappe sur le métal, ça va lui résonner dans les oreilles.

Tristan se penche devant. Maxim et moi prenons place chacun de notre côté. Il donne trois gros coups sur le conteneur et se met à rugir comme un lion.

– Rien de ton côté ? demande Maxim.

– Non, rien, je réponds. Surveille aussi un peu vers l'arrière.

Tristan continue ses sparages en hurlant n'importe quoi.

– YAKAKAKAÏÏÏÏÏÏ! PIYAAAAAHHHHHH!
BRRRRRRYYYOOOOOOHHHH! Oh attention,
j'ai vu quelque chose bouger!

Je plie légèrement les genoux, prêt à partir à la
course.

*Allez, Anorexie, sors de ton trou!*

D'un coup, Tristan arrête tout bruit. Je me
recule d'un pas pour voir. Il se relève, puis se met
en transe.

– La vache! Elle m'a pissé au visage!
AAAAHHHHHHHHH!

Dès qu'il termine son cri de mort, Maxim passe
à côté de moi telle une étoile filante.

– Les gars, c'est pas Anorexie, c'est une
mouffette!

# Chapitre 15

# Le parfum de la mort

En comparaison du parfum de la mouffette, une sardine sent la rose. Tristan a beau être dix mètres derrière nous, son odeur s'étend dans tout le quartier. Je me demande si les mouffettes sont au courant qu'elles sentent la mort. Quelqu'un les a-t-il mises au parfum?

– Attendez-moi! crie Tristan.

Nous courons.

Encore.

Sans arrêt.

Aucune idée pourquoi...

La mouffette n'est quand même pas pour se louer une voiture et partir à notre poursuite. Même si sa queue était en feu, elle n'arriverait jamais à courir plus vite que nous. Elle est probablement encore figée de peur sous le conteneur à déchets, à se demander qui est cet énergumène qui est venu hurler dans sa cachette.

Comme système de défense, il ne se fait pas mieux. J'aimerais bien pouvoir lâcher de telles bombes puantes.

Un jour, avec du recul, je repenserai à cette soirée et je me bidonnerai comme un fou en me remémorant Tristan, les yeux fermés, se plaignant dans la plus grande hystérie qu'Anorexie lui a pissé au visage. Réalisant une fraction de seconde plus tard que le fameux chat noir avec de la neige sur le dos n'était nul autre qu'une mouffette. Avoir su, j'aurais apporté mon appareil-photo pour immortaliser la scène. Ça me ferait un beau cadre dans ma chambre. Faudra que je lui demande un jour s'il a reçu une partie du jet dans la bouche.

– Mes yeux brûlent, attendez-moi, je vois plus rien !

Il hurle, reprend son souffle, pleure et court en même temps. Quatre tâches simultanées. C'est beaucoup demander à Tristan, mais il continue de courir sans trébucher.

Maxim et moi arrêtons au parc, notre zone de sécurité, là où les mouffettes ne pourront pas venir nous déclarer la guerre. Derrière, nous apercevons Tristan tourner le coin de la rue.

– Je croyais que les mouffettes hibernaient l'hiver, dit Maxim entre deux respirations.

– Moi aussi. Peut-être qu'elles sortent lorsqu'elles ont faim.

– Il pue jusqu'ici.

– J'ai comme pas trop envie qu'il vienne nous empester, lui. Je vais m'évanouir.

Maxim me tend sa mitaine gauche.

– Tiens, mets-toi ça sur le nez pour couper l'odeur.

Elle fait de même avec celle qui lui reste.

Tristan arrive à notre rencontre. On le croirait tout droit sorti d'un film de zombies tellement la terreur est imprégnée dans tous ses traits. Malgré la noirceur, je distingue très bien ses yeux injectés de sang. De l'enflure, de l'irritation, le tout mêlé aux larmes.

– Ça chauffe! Il faut que je me lave les yeux avec de la neige.

Il tâtonne, prend une motte de neige, les yeux à moitié fermés, puis s'essuie le visage avec vigueur.

– Tristan, dit Maxim qui prend sa voix la plus rassurante possible. Panique pas, mais je veux juste te dire de pas prendre cette neige-là. Tu es en plein là où j'ai vomi cet après-midi.

– Quoi?! Mais pourquoi vous me l'avez pas dit? demande-t-il.

– Écoute, tu pues tellement qu'on est étourdis. On n'y a même pas pensé.

Il avance à quatre pattes de quelques enjambées.

– Avance encore un peu, prends pas de chance !

– Merde, as-tu dégobillé dans tout le parc ?!

*Presque !*

Il plonge tête première dans la neige et s'agite dans tous les sens. Il frotte comme un dingue pour enlever les molécules de puanteur qui s'accrochent à sa peau.

– Est-ce qu'on en profite pour se sauver ? que je murmure à Maxim.

– On peut pas le laisser tout seul comme ça. Pauvre lui !

– Et Anorexie ? Tu l'oublies ?

Elle regarde sa montre.

– Il est 6 h 37. Il nous reste encore du temps. On pourrait au moins le raccompagner chez eux.

Tristan relève la tête.

– Est-ce que ça sent encore ?

– L'odeur part pas avec de la neige.

– Mais qu'est-ce que je fais alors ?

– J'ai déjà entendu dire que ça part avec du jus de tomate, dit Maxim.

– Il faut boire du jus de tomate ? demande Tristan.

– Non, il faut te laver avec!

– Mais je vais sentir la tomate!

– Aimes-tu mieux sentir la mouffette ou bien les tomates?

– On n'en a pas chez nous, dis-je.

– Chez nous non plus, dit Tristan. Le jus de légumes, est-ce que ça fait pareil?

– Non, je pense pas, répond Maxim.

– Alors qu'est-ce qu'on fait? demande-t-il avant de se remettre à pleurer.

– Arrête de brailler, Tristan. C'est pas si grave que ça. Tu t'es juste fait arroser par une mouffette. Tu vas pas mourir.

– Tu serais peut-être mieux d'aller chez toi, dit Maxim. Ta mère va sûrement savoir quoi faire.

– Elle a passé la journée à laver la maison, elle ne voudra pas me laisser entrer!

– Mais là, franchement, t'exagères. Elle te laissera sûrement pas mourir sur le balcon.

– C'est mortel? Mes yeux vont-ils tomber? Je ne vois plus. Non, je ne vois plus rien. JE SUIS AVEUGLE!

*Misère...*

– J'ai une idée, annonce Maxim. On n'a pas de jus de tomate, mais on peut sûrement essayer avec des tomates. Si on les écrase, ça va faire du jus.

*Bonne idée, je rêve depuis longtemps de te lancer des tomates dans la face, Tristan !*

Je leur fais signe de m'attendre et me dirige rapidement chez moi. Mon père est sur le balcon, le manteau ouvert, en train de griller une cigarette.

– Où est passée ta blonde ? demande-t-il.

– Maxim ? C'est pas ma blonde !

– Ouin, me semble. Qu'est-ce que t'es venu chercher ?

– Des tomates.

*Oups !*

J'ai répondu sans réfléchir.

– T'es pressé d'aller chercher des tomates, dit-il, un sourire en coin. Qu'est-ce que vous allez faire avec ça ? Une petite collation d'amoureux ?

*Ha ! Ha ! Que t'es drôle !*

– Jouer... à un jeu... de .... un jeu amusant... qui faut, euh... Je sais pas trop c'est quoi, Tristan nous l'a pas encore expliqué.

Robert reprend son sérieux. Il sent qu'il y a anguille sous roche.

– Là, je t'avertis. Si j'entends que t'as lancé des tomates sur des voitures ou sur des maisons, ça va aller mal. As-tu compris ?

– Oui, oui, capote pas.

*J'y avais pas pensé, mais merci pour l'idée !*

Deux minutes plus tard, je reviens au parc, la poche de manteau gauche pleine. Tristan teste chacun de ses yeux en cachant l'autre d'une main. Petit examen d'optométrie maison. Maxim m'accueille avec sa belle impatience.

– Es-tu allé prendre ta douche, coudonc?

– Non, c'est mon père qui enquêtait encore! Il voulait absolument savoir ce que j'allais faire avec des tomates.

– Tu en as apporté combien?

Je sors un casseau de tomates.

– T'avais pas d'autre chose que des tomates cerises? rage-t-elle.

– Non, le frigidaire est vide.

– Merde! Y'ont pas de jus, ces tomates-là, et elles sont trop dures.

– Qu'est-ce qu'il y a? demande Tristan, inquiet.

– Rien, rien. Couche-toi sur le dos, bouge pas et ferme les yeux.

– Qu'est-ce que vous allez faire? Est-ce que ça va faire mal? Est-ce que…

– Veux-tu bien te taire pis te coucher? On est pressés.

Tristan s'exécute. Maxim croque une mini-tomate en deux, saisit une moitié et la frotte sur la joue de notre victime.

– Vous êtes certains que ça va marcher? demande-t-il en relevant la tête.

– Arrête de bouger!

Je croque une tomate à mon tour. Je pèse fort sur la chair pour en extirper un maximum de jus. Très vite, son visage devient rougeâtre, parsemé ici et là de noyaux minuscules collés à sa peau. Vu la noirceur, son visage terrifierait n'importe quel enfant. Heureusement, aucun passant ne vient interrompre notre opération. On pourrait facilement croire à de l'intimidation. Deux personnes qui écrasent des tomates cerises au visage d'un garçon qui se plaint et pleure, difficile de ne pas éveiller les soupçons.

Au bout de quelques minutes, Maxim croque la dernière tomate.

– Rince-toi le visage dans la neige, ordonne-t-elle une fois qu'elle a terminé. T'as des tomates partout.

Rien à faire, l'odeur lui colle toujours à la peau. Aussi fort. Je ne m'y habitue pas. Je ne m'y habituerai jamais. Lorsque mon père lâche un gros pet puant, on ne le sent plus au bout de quelques secondes. Au pire, une ou deux minutes s'il a mangé des sandwiches aux œufs. Mais cette odeur de mouffette ne meurt pas, Elle est permanente. Elle s'agrippe au nez de toutes ses forces.

– Ça sent beaucoup moins, dit Maxim en me faisant un clin d'œil.

– Moi, je sens plus rien, que je rajoute.

– Je suis guéri ? demande Tristan qui hésite à sauter de joie. Il me semble que ça sent encore.

Maxim se colle le nez sur sa joue.

– Bof, à peine. Un bon bain et tout sera réglé, conclut-elle. Et je me dépêcherais de rentrer, ça va être l'heure de souper.

Tristan nous quitte en nous remerciant à plusieurs reprises. Maxim surtout. Nous le regardons traverser la rue, puis gambader une distance d'environ cent mètres avant d'entrer chez lui.

– Il pue, c'est effrayant ! dit Maxim.

– Ç'a pas de bon sens !

Oui, avec du recul, je rirai définitivement de cette soirée. Surtout du cri de détresse que la mère de Tristan a lâché lorsqu'il a ouvert la porte de sa maison.

Car nous l'avons bien distingué. Un hurlement de terreur digne des meilleurs films d'horreur.

Même la mouffette sous le conteneur l'a entendu.

## Chapitre 16

# Un plan simple, simple, simple

Une fois que nous nous sommes débarrassés de notre mouffette française à deux pattes, Maxim et moi poursuivons nos recherches. Tout le quartier passe au peigne fin. Un carré d'au moins un kilomètre par un kilomètre. Sans succès.

Je me donne pour mission d'inventer un jour un détecteur à chats. Les métaux, la fumée et les mensonges ont droit au leur, pourquoi pas les chats? Pour les chiens, ça existe déjà. Ça s'appelle un facteur.

Je suis glacé de la tuque aux pieds. Mes rotules grelottent. Épuisé mentalement et physiquement. Plus capable d'appeler Anorexie en vain. Où est-elle? Est-elle au chaud dans une maison à se faire dorloter par sa nouvelle famille adoptive pendant que je me tue à la chercher? La seule certitude est qu'il ne lui est rien arrivé de grave. Nous l'aurions vue. Chaque recoin de bitume a été inspecté.

La camionnette des parents de Maxim s'arrête devant chez moi à 20 h 03 très précisément selon sa montre.

– Je reviens demain matin pour qu'on continue nos recherches, dit-elle.

– Je pense qu'on devrait laisser tomber. Je suis sûr…

– Tu peux pas être sûr de rien, me coupe-t-elle. Il y a des gens qui ont survécu une semaine de temps sans eau ni nourriture après des tremblements de terre.

– Des humains, justement. Pas des animaux.

– Les animaux ont de l'instinct. Anorexie s'est sûrement trouvé une cachette au chaud quelque part. C'est de ma faute si elle est perdue, alors je reviens demain, point final. Si t'es mon ami, tu vas me suivre.

– Ouais.

*Ah non, je recommence avec mes «ouais»!*

Maxim retient ses larmes et monte à bord de la camionnette. En partant, le véhicule passe tout près de moi. Maxim me fait un signe de la main, tout comme son père, Normand, au volant. La fourgonnette s'éloigne, puis disparaît.

En montant les quelques marches du perron, je fais le souhait que ma mère ne me pose pas de questions à propos d'Anorexie. J'ai eu droit à trente-six mille interrogatoires et j'ai couru trois marathons depuis mon réveil. En plus du stress qui ne se mesure pas. Je suis mort.

*Comme Anorexie...*

– Mon Dieu, on dirait que tu t'es fait attaquer par des loups, observe ma mère lorsque j'apparais dans la maison. À quoi vous avez joué, coudonc?

– À la cachette. Pis toi, qu'est-ce que tu fais à quatre pattes dans la cuisine? Joues-tu au Twister?

– Je joue à la cachette aussi: je cherche ta chatte. Je lui ai mis un bol de nourriture et de l'eau fraîche et elle n'est pas encore venue. Ça fait une heure que je la cherche. Elle est vraiment bien cachée.

*À qui le dis-tu!*

– Elle est pas mal bonne là-dedans!

*Trop bonne.*

– Ôte tes bottes pis viens m'aider.

*Ça fait six heures que je la cherche! SIIIIIIIX!*

J'obéis sans trop protester. En enlevant mon manteau, je prends la décision de me donner au moins la journée de demain pour retrouver Anorexie, sans quoi je devrai raconter la vérité à ma mère. Ou lui inventer une histoire de fou pour expliquer sa disparition. La nuit porte conseil.

Je me mets à quatre pattes à mon tour et regarde sans conviction derrière le vaisselier de la cuisine.

– Tu sens donc bien bizarre, dit ma mère en plissant le visage.

– Ah bon… J'ai peut-être eu chaud.

Elle n'insiste pas et je fais semblant de me concentrer sur mes recherches.

– Regarde vraiment partout, tu serais surpris à quel point les chats sont capables de se faufiler.

*Inquiète-toi pas, je suis comme un petit peu beaucoup très au courant !*

Ding dong !

Ma mère se relève.

– Mon Dieu, qui est-ce que ça peut être à cette heure-ci ?

Je m'avance vers la porte, mais ma mère me bloque le chemin du revers de la main.

– J'y vais, on sait jamais qui ça peut être.

*Devant un voleur, j'ai pas mal plus de chances que toi, m'man !*

Elle ouvre la porte lentement comme si cette technique pouvait empêcher l'intrusion d'un maniaque à la tronçonneuse.

– Ah, c'est toi ! Rentre ! As-tu oublié quelque chose ?

Maxim fait un pas et s'arrête sur le tapis d'entrée.

– Non, mais mes parents et moi, on s'en va au cinéma et je voulais inviter Bine.

Elle se tourne vers moi.

– On n'est pas obligés de regarder le même film qu'eux.

*T'as la tête à aller au cinéma, toi?*

– Mon Dieu, grouille-toi, ils vont s'impatienter! gesticule ma mère.

Aucun temps de réflexion. Ma gérante a décidé pour moi. Évidemment que ça me tente! Ma première sortie avec Maxim. D'un coup, ma fatigue disparaît.

– Je vais t'attendre dans le camion, conclut Maxim.

– Non, non, attends-moi, ça va me prendre cinq secondes.

– C'est correct, je vais t'attendre dans le camion, insiste-t-elle.

En moins de deux minutes, je me brosse les dents, me gargarise, me peigne, enfile des jeans et un t-shirt propres. Le temps de vérifier que mes deux bas sont de la même couleur, je cours dans l'entrée arracher mon manteau des mains de la garde-robe.

Une fois dehors, le froid attire mon attention. Je repense à Anorexie. Un intense courant de malaise me transperce le corps. Je frissonne. Plutôt bizarre d'aller m'enfermer au chaud au cinéma, dans le gros confort d'un siège moelleux, en mangeant un maïs soufflé géant, alors qu'Anorexie est probablement en train d'agoniser quelque part dans les environs. Peut-être à moins de cinquante mètres d'où je me trouve.

*Où est-ce que t'es maudit?*

Me suis-je attaché à elle? Vais-je avoir de la peine si je ne la revois jamais? Je l'ignore. L'idée qu'elle meurt à cause de mon insouciance me brise le cœur. Pourvu qu'une famille l'ait adoptée…

Sur le banc du passager, la mère de Maxim m'adresse un sourire à travers la vitre légèrement teintée. La porte latérale de la minifourgonnette s'ouvre toute seule, grâce au système électrique. Mon amie est assise sur la grande banquette arrière. Elle tient dans ses mains une grosse bosse sous une couverture de laine rouge et grise. Le petit museau d'Anorexie se libère et elle pousse un miaulement de joie.

Mes frissons redoublent d'ardeur. Mon cœur change de place avec mes orteils. Elle devine que je n'y comprends rien.

— En s'en allant tantôt, on l'a vue au coin de la rue.

Elle saute sur place tellement elle est excitée et heureuse.

*Attention pour pas qu'elle se sauve!*

Je suis figé. Je reste planté-là, la bouche mi-ouverte. Mes sentiments se bousculent au passage. J'ignore si je dois pleurer ou sauter de joie. M'effondrer de soulagement. M'excuser.

– T'es chanceux, bonhomme! J'ai bien failli l'écraser! rigole son père, tout fier de ses exploits de conduite qui rendraient Lewis Hamilton jaloux.

– Je l'ai tout de suite reconnue, reprend Maxim. Je sais pas pourquoi, elle restait dans le milieu de la rue au lieu de se sauver. Elle avait même pas peur.

*Ben voyons donc!*

– Mais… mais… Comment vous avez fait pour l'attraper?

Les trois se mettent à rire en même temps.

– On n'a même pas eu besoin, dit sa mère. Maxim et moi, on est débarquées. Je l'ai approchée doucement, je me suis penchée. Sans le vouloir, je lui ai fait peur, pis en se sauvant, elle a sauté dans le camion. Heureusement que Maxim avait laissé la portière de côté ouverte.

– C'est bizarre, elle a pas eu peur du camion, mais elle a eu peur de ma femme! blague Normand.

Je n'ai jamais été si heureux de voir un chat. Je referme la grande porte de côté pour être certain qu'elle ne fugue pas une troisième fois. Anorexie ronronne et ne semble plus incommodée par le froid. Au fait, l'a-t-elle été? Qu'a-t-elle fait durant toutes ces heures? A-t-elle eu la frousse?

— Où est-ce que t'étais, toi? On a passé la journée à te chercher!

Pour réponse, elle se lèche le museau.

— Là, il va falloir la rentrer en dedans sans que tes parents s'en aperçoivent! dit Maxim avec son ton de comploteuse.

— Le cinéma, c'était mon idée pour t'attirer ici, dit Normand. Maxim nous a dit que tes parents n'étaient pas au courant que vous l'aviez perdue au parc. En même temps, elle voulait te faire une surprise.

— Mais là, si je reviens à la maison avec un chat dans les mains, ils vont me faire passer un questionnaire de douze pages. Pis cachée dans mon manteau, ça va paraître.

— On a une idée, dit la mère de Maxim.

*Vous avez toujours des idées, vous autres!*

Si on organisait un concours mondial des parents les plus cool, ceux de Maxim gagneraient haut la main. Jamais ils ne haussent le ton, ils laissent leur fille se coucher à l'heure qu'elle veut, elle peut inviter des amies même la semaine, ils lui achètent tout ce qu'elle désire, elle n'a jamais besoin de leur inventer des mensonges. Depuis que je la connais, jamais je ne l'ai entendu raconter qu'elle s'était fait chicaner.

*Je t'échange tes parents contre les miens n'importe quand!*

Lise m'explique son scénario : j'entre en prétextant avoir besoin d'argent, je file dans ma chambre, ouvre la fenêtre qui mène à la cour, Maxim me tend Anorexie d'en bas et badaboom badabim, le tour est joué! Un plan très simple.

J'entre dans la maison.

– Le film était pas long! plaisante ma mère d'un air suspicieux.

– J'ai oublié de quoi dans ma chambre.

– Enlève tes bottes, je veux pas que tu mettes de la neige partout.

J'obéis à ses ordres. Ce n'est vraiment pas le temps de contester les règles de la maison.

– Qu'est-ce que t'as oublié ? demande-t-elle.

– De l'argent.

– Bouge pas, je vais t'en donner.

– Non, non, c'est correct. J'en ai dans mon portefeuille.

– Garde-le, dit-elle en se dirigeant vers la garde-robe dans l'entrée. Ta première sortie avec une fille, j'aimerais ça te la payer.

– C'est pas ma blonde, m'man.

– Ben non, hein ! C'est pour ça que t'es devenu rouge vin tantôt quand elle t'a invité au cinéma.

– J'étais pas rouge à cause de ça. On gelait dehors !

– Ah, que t'es cute, mon garçon !

Elle me frotte les cheveux avec sa main.

*ARRÊTE DE FAIRE ÇA !*

– Oups ! ricane-t-elle, je t'ai tout dépeigné. Je te laisserai pas sortir de même !

Elle lèche ses doigts et me peigne de sa main humide qui pue la salive. La scène se déroule si vite que je n'ai même pas le temps de réagir. J'aurais pourtant dû m'en douter à l'étape de la langue sur les doigts.

– Ah, je suis tout énervée pour toi !

Pour elle, cinéma égale bal masqué, robe, veston, champagne et pétales de roses.

Elle ouvre la porte de la garde-robe, saisit son sac à main, sort son porte-monnaie, puis fouille dans son fouillis. Quatre-vingt-quinze factures tombent sur le plancher.

– Je suis vraiment due pour faire le ménage dans ma sacoche.

*J'ai cru remarquer!*

Elle ouvre tous les compartiments.

– Voyons! J'étais sûre qu'il me restait vingt piastres. Attends un peu, je vais aller demander à ton père.

– Laisse faire, m'man.

Mais elle gambade déjà vers les escaliers menant au sous-sol.

Je cours vers ma chambre sans perdre une seconde.

*Quasiment simple, le plan!*

Je regarde dehors et aperçois Maxim qui me sourit. Elle tient fermement la grosse couverture qui enveloppe mon cadeau de Noël et de fête. La fenêtre intérieure de gauche s'ouvre toute seule, mais la deuxième est toute givrée. Elle ne bronche pas. Elle est collée comme la langue d'Anorexie sur le poteau du but de soccer. J'essaie du côté droit. Même résultat. Échec d'ouverture.

*Force, cibole!*

Je tends l'oreille. Mes parents s'obstinent. Normalement, ça pourrait durer longtemps, mais sachant que les parents de Maxim m'attendent dehors, Jocelyne ne tardera pas. Il n'y a rien au monde qui la stresse plus que de faire poireauter les gens.

Ouvrir cette foutue fenêtre devient ma mission de vie. J'essaie de lever une jambe pour me pousser contre le cadre, mais mes jeans menacent de déchirer. Je les enlève et me retrouve en boxers. Je lance mes pantalons sur mon lit et reprends mon acrobatie. Cette fois, je réussis à planter le pied contre le cadre. J'étire les bras le plus loin que je peux et saisis la clenche à deux mains. Autre point à ajouter à ma liste *Avantages d'avoir de longs bras de gorille.*

La glace qui empêche ma vieille fenêtre d'ouvrir à sa guise cède finalement. En bas, Maxim lance un soupir de soulagement. Elle lève les bras et me tend Anorexie. Je me penche le plus que je peux, mais je suis incapable de saisir le butin. Même avec mes bras bioniques.

— Étire-toi plus, Maxim.

— Je suis sur le bout des pieds ! Faudrait que je grimpe sur quelque chose.

Elle fait un trois cent soixante degrés, mais n'aperçoit rien qui lui viendrait en aide.

— Il va falloir que tu la lances.

— Es-tu fou ? Si on rate notre coup, on risque de lui faire mal.

– Dépêche-toi !

– C'est beau, Benoit-Olivier, ton père en avait ! crie ma mère au loin.

Sans signal de départ, sans concertation, Maxim lance Anorexie enroulée. Je l'attrape comme au ballon-chasseur, la cache sur le côté du lit, referme les deux fenêtres délicatement. J'ai juste le temps de me retourner.

– Veux-tu bien te dépêcher, toi ! Ça fait cinq minutes qu'ils t'attendent ! Qu'est-ce que tu fais en bobettes ?

– J'avais oublié de les changer. Elles étaient pleines de sueur.

Elle me tend un billet de vingt dollars.

– Tiens. Je sais pas combien c'est rendu, mais il devrait t'en rester assez pour t'acheter un popcorn pis une liqueur.

– Merci beaucoup, m'man. Maintenant, est-ce que je peux me déshabiller tout seul ?

– Grouille ! Grouille ! ordonne-t-elle en disparaissant.

Mon mensonge n'en était pas vraiment un. J'avais vraiment oublié de changer mes boxers. J'en enfile une paire propre et remets mes pantalons. Je développe Anorexie pour la deuxième fois cette semaine, puis cache sous mon lit la vieille couverture qui devait traîner dans le fond de la camionnette. Je m'occuperai de cette pièce à conviction plus tard.

Je lui donne un bec sur le museau. Elle me regarde de ses yeux perçants en voulant dire : «Coudonc, y a-tu quelqu'un qui pourrait m'expliquer ce qui se passe ?» Pour la première fois, elle est calme. Elle se souvient probablement de la mauvaise tournure de ses multiples fuites. Elle saute sur le lit et se couche tout près de mon oreiller.

En sortant, je laisse la porte de ma chambre ouverte pour qu'elle puisse aller manger, boire et relâcher son stress dans sa litière.

Je saute directement dans mes bottes. Ma mère est grimpée sur le comptoir et scrute le haut des armoires. Ne voulant pas gâcher son plaisir de trouver Anorexie, je ne lui indique pas vers où se tourner.

— Bye, m'man !

— Bye, là ! Amuse-toi bien avec Maxim. Bon film !

En entrant dans la camionnette, je lance aux trois passagers un magnifique sourire de brigand satisfait du déroulement d'un vol à main armée.

Maxim m'accueille d'un bec sur la joue.

— On a réussi ! s'exclame-t-elle.

La vie d'Anorexie est sauve.

La mienne pourrait s'arrêter maintenant et je mourrais heureux.

Ce n'est qu'un bec sur la joue, mais c'est un début.

Je l'espère...

# Chapitre 17

# Rot 'n' roll

Une fois au cinéma, l'appétit me rattrape. Je n'ai rien avalé depuis l'orgie de jelly beans. L'inquiétude durant les recherches m'a tellement rongé par en dedans que j'en avais oublié la faim.

L'odeur du popcorn m'appelle. Je demande à Maxim si elle veut partager le plus gros format avec moi, soit l'équivalent d'un baril de pétrole. Un champ complet de maïs noyé dans du beurre artificiel jaune fluo. De quoi rassasier un ogre. Un souper cinq étoiles.

Nous achetons chacun un dix-huit litres de boisson gazeuse, la portion parfaite pour qu'une envie nous pogne au début du film, au milieu, à la fin, en revenant à la maison et trente-quatre fois durant la nuit.

Comme le film de ses parents est beaucoup plus long que le nôtre, nous nous donnons rendez-vous dans la section des jeux d'arcade, là où je me promets de donner une bonne leçon de *air hockey* à Maxim. J'aurais de loin préféré le film qu'ont choisi ses parents, le dernier James Bond, mais Maxim n'avait d'yeux que pour un film d'animation un peu bébé. Je n'ai pas protesté.

Nous quittons les adultes et nous engouffrons dans notre salle quelque vingt minutes en avance. Nous choisissons les derniers bancs du haut, en plein centre. La salle se remplit de parents et de jeunes enfants en quelques minutes.

– Es-tu content d'avoir retrouvé ton chat? demande Maxim en prenant une longue gorgée de Pepsi *flat* en fontaine.

– Anorexie, c'est une femelle! Ça fait trois mille fois que je te le répète.

– Es-tu content, oui ou non?

– J'aime pas mal plus ça que de la savoir morte, disons!

– Peut-être qu'elle va devenir ta meilleure amie. *Et toi, ma blonde?*

– Exagère pas!

– Ah non, c'est vrai. Ton meilleur ami, c'est Tristan, dit-elle en riant.

– Ta gueule! que je dis en lui lançant une poignée de popcorn.

– Il l'a dit à ta mère aujourd'hui (elle imite son accent): «C'est mon meilleur pote!»

– Eh que t'es comique!

– Juste parce qu'il pue, tu veux plus être son meilleur ami, c'est ça? demande-t-elle d'un air faussement sérieux.

L'éclairage se tamise. Les rideaux s'ouvrent et la première des trois cent soixante-quinze bandes-annonces commence.

– J'ai pas tenu ma promesse, dit-elle.

– Quelle promesse?

– J'ai toujours pas mangé mes sardines.

– Les vacances sont loin d'être terminées. Inquiète-toi pas, c'est pas le genre de chose que j'oublierais!

La dame assise devant nous se tourne et nous fait signe de nous taire d'un air qui me rappelle madame Bélivache dans ses meilleurs moments.

Je m'approche de l'oreille de Maxim et murmure.

– Au lieu de ta conséquence, je te défie de vider toute ta liqueur sur la tête de la madame.

– Ben voyons, es-tu malade?

– Écoute, écoute. Tu te lèves, tu fais semblant de trébucher pis tu lui vides ta liqueur dessus. T'auras juste à t'excuser et dire que c'était un accident.

– Faudrait que ce soit à la fin du film, sinon, c'est trop chien.

– OK, mais range ta liqueur sous ton banc. Tu boiras dans la mienne avec ta paille.

– On peut prendre la même paille, ça me dérange pas.

*Moi non plus ! Tu peux même baver dessus !*

– Donc, tu vas le faire ? que je lui demande en oubliant de chuchoter.

La dame se retourne, met son index sur ses lèvres, nous postillonne un gros «CHHHHHHHUUUUUUUTTTTTT !», puis se retourne vers l'écran.

*Le film est même pas commencé, niaiseuse !*

Maxim se colle sur mon oreille en rigolant.

– En temps normal, je serais pas *game*, mais elle est tellement fatigante que je vais y penser pendant le film.

Elle se rassoit droit, saisit ma liqueur et en enfile une bonne gorgée. Elle me fait signe de m'approcher.

Veut-elle m'embrasser ?

Ses yeux en forme de pendules m'hypnotisent. Je fonds dans mon énorme siège rembourré.

Est-ce maintenant le moment tant attendu ?

J'ignorais qu'un cœur pouvait battre si fort. Il me résonne jusqu'aux orteils. Je le sens dans mes cheveux.

Elle mouille ses lèvres avec sa langue rosée.

Je me penche vers elle.

*Vite, avant que je tombe dans les pommes!*

Mais elle ne me susurre pas de mot d'amour.

Ne m'embrasse pas non plus.

Elle lâche, au creux de mon oreille, à moins d'un centimètre de mon tympan, le plus gros rot de l'histoire de l'humanité.

Juste pour moi.

## Chapitre 18

# L'art de terminer le terminement

Madame Béliveau nous répète souvent que le plus difficile dans un travail, après l'introduction, c'est la conclusion. Mais avant d'y songer, on doit s'assurer d'avoir répondu à toutes les questions laissées en suspens. Aucune interrogation ne doit rester dans la tête de notre interlocuteur. Des interrogations telles que :

- Maxim a-t-elle vidé son baril de liqueur sur la dame ? La dame a-t-elle pété une coche ?
- Bine a-t-il eu le courage d'embrasser Maxim au cinéma ?
- Anorexie s'est-elle sauvée à nouveau ?
- Tristan sent-il encore la mouffette ?

Notre enseignante sanguinaire dit aussi qu'il ne faut pas exagérer non plus et répondre à une panoplie de détails inutiles comme :

- Rose va-t-elle refaire de la tarte au sucre pour le jour de l'An ? Si oui, va-t-elle encore oublier le sucre ?

- Qu'est-il advenu du chandail laid de Michèle ? L'a-t-elle porté ?
- La mouffette est-elle sortie de sa cachette ?
- Bine va-t-il vraiment inventer un détecteur à chats ?
- Le pousse-mine de l'échange de cadeaux fonctionne-t-il bien ?

Une fois qu'on est certain que tous les questionnements pertinents ont obtenu réponse, on doit trouver une façon originale de conclure. Il est primordial d'user de créativité, d'imagination et d'éviter les pièges tels que : «Ils se marièrent et eurent beaucoup d'enfants. »

Mais par-dessus tout, madame Béliveau nous ordonne de ne jamais emprunter le chemin le plus facile et de terminer par «Merci de m'avoir écouté, j'espère que vous avez trouvé ça intéressant».

Alors voilà :

Merci de m'avoir écouté, j'espère que vous avez trouvé ça intéressant.

# Les plus longs remerciements de l'histoire de la littérature :

Afin de ne rendre personne jaloux et d'éviter de recevoir des messages haineux du genre «vu que tu m'as juste remercié en huitième, je vais faire exploser ta voiture», mon premier merci va à moi-même. Je me remercie de m'avoir fait passer un aussi bon temps à écrire ce roman. Je prends ma douche et ensuite je m'embrasse de la tête aux pieds.

Mon deuxième merci va à ma blonde, Marie-Andrée, qui m'endure depuis plus de sept ans et qui a relu trois cents fois mon manuscrit. Elle a malheureusement eu droit aux horribles premières versions. Ses conseils ont toujours été judicieux. Je dois faire un aveu : l'idée de la mouffette vient d'elle. Je lui fais prendre sa douche et ensuite je l'embrasse de la tête aux pieds.

Troisième merci à ma mère, Ghislaine, qui est depuis toujours une confidente et une mine d'inspiration. Il y a beaucoup d'elle dans ce livre. Elle le devinera : ma Jocelyne lui ressemble étrangement ! Je lui demande par contre de laisser faire la douche…

Un gros merci à mon garçon, Jérémie, qui, au moment où j'écris ces longs remerciements, a deux ans et quatre mois. Même si je ne dors plus depuis que tu es né, tu es l'être le plus cher à mes yeux. Tu es un garçon pur et je souhaite que tu le restes toute ta vie. Patience, ta petite sœur s'en vient…

Cinquième merci à Antonio Di Lalla, un professeur de français qui m'a enseigné à L'École nationale de l'humour et qui a toujours cru en mon talent. Je pense qu'il croyait plus en moi que moi je pouvais croire en moi. Bon, c'est une phrase compliquée, mais tu comprends ! Il reçoit ici le cinquième merci, mais comme son aide a été astronomiquement plus importante pour le tome 2, je lui promets une meilleure position pour la suite.

Les mercis qui suivent n'ont pas d'ordre précis, à l'exception du dix-neuvième.

Merci à Katherine et à Marc-André, les deux gourous de la maison d'édition Les Malins. Avant que vous me posiez la question : non, ils ne sont absolument pas malins. Un gros merci de m'avoir fait confiance. Sans vous, ce roman serait encore dans le dossier d'un dossier du dossier dans le dossier d'un autre dossier du dossier principal de mon ordinateur.

Merci à ma grand-mère Cécile. Atteinte d'Alzheimer, elle ne pourra malheureusement jamais lire mon livre. J'ai toujours été son petit-enfant préféré et elle était et sera à tout jamais ma grand-maman chérie. Je lui dédie mon personnage de Rose.

Un gros merci à François, le seul cousin qui me reste et que j'aime beaucoup. Je le plante dans tous les sports, mais comme je le lui répète toujours : « L'important, c'est de participer ! »

Merci à mon oncle Normand avec qui j'ai toujours un fun noir. Lui, il n'aime pas rire et n'est jamais de bonne humeur... mais il est ben, ben drôle !

Merci à mon père, Jacques, qui m'a donné un emploi chez Pharmaprix quand j'en avais bien besoin. Ce livre est une belle publicité pour Pharmaprix, alors j'attends mon chèque !

Un gros merci au reste de ma famille qui est une grande source d'inspiration. Je ne vous nommerai pas parce que même si on est juste six ou sept, j'ai peur d'en oublier un ! S'il fallait que j'oublie Isa, elle me ferait la baboune pendant trois mois.

Un gros non-merci aux Ferrero Rocher : j'ai dix livres à perdre à cause de vous autres !

Merci à toutes les maisons d'édition qui ont refusé ce roman. J'espère qu'il deviendra un immense succès. Je pourrai rire dans ma barbe en me disant : «Ha ! Ha ! Ha ! Ils l'ont refusé !» Et si jamais c'est un flop, ce sont eux qui diront : «Ha ! Ha ! Ha ! Une chance qu'on l'a refusé !»

Note à moi-même : me laisser pousser une barbe... au cas où.

Merci au basketball, le plus beau sport au monde.

Merci aux pantalons de jogging. Écrire ne serait jamais aussi agréable sans vous.

Merci à Louis-José Houde et à Mike Ward, mes deux humoristes préférés. Bon, ils ne me connaissent pas, mais les nommer ajoute beaucoup de crédibilité à mon livre.

Merci à Benoît Cabana, mon enseignant de français de secondaire 3, qui m'avait lancé comme défi d'écrire des poèmes si je me pensais si bon. Juste pour le faire taire, j'ai travaillé fort pour écrire des poèmes absolument ridicules. Mais le mal était fait : j'avais attrapé la piqûre de l'écriture.

Un gros merci aux élèves de Dominik Séguin, à l'école primaire du Mont-Bleu, qui ont lu et commenté la première version de ce roman. Depuis le temps, beaucoup de choses ont changé. Ils sont aujourd'hui trop vieux pour lire Bine, mais j'espère quand même qu'ils le feront, ne serait-ce que pour se rappeler des souvenirs et dire aux gens : « Eille, moi, j'ai lu son livre sur des feuilles imprimées quand j'avais onze ans ! »

Merci à mon meilleur ami, Carl, qui n'a jamais raison quand on s'obstine.

Merci à tous les élèves à qui j'ai enseigné. Un merci tout particulier à ceux que j'ai eus au Collège international l'Odyssée entre 2001 et 2004. Ce fut trois années inoubliables. Je suis certain que vous allez être très fiers de votre prof! Sachez que Tristan m'a été inspiré par l'un d'entre vous, mais je ne vous dis pas qui!

Non-merci à ceux qui parlent durant un film au cinéma. En passant, ON VOUS ENTEND!

Merci à vos parents d'avoir acheté ce livre. C'est grâce à eux si je vais pouvoir m'acheter un nouvel ordinateur pour écrire le troisième tome de Bine.

Et le merci final te revient, cher lecteur. Merci d'avoir lu mon premier livre et ces remerciements interminables. J'espère sincèrement que tu as apprécié. Je ne te connais pas, même que j'ignore ton nom, mais si jamais tu me croises chez IGA ou chez Costco, n'hésite pas à me saluer. Étudie bien la petite photo sur la couverture arrière, sinon la personne risque de te regarder croche…

# Bine

## tome 2

disponible en librairie,
faque grouille-toi !

**MARQUIS**

Québec, Canada

Achevé d'imprimer en septembre 2014
sur les presses de l'imprimerie Marquis Gagné